COORDENAÇÃO RENATA ARMAS

CHURRASCO
DE COSTELA & CIA.

1ª EDIÇÃO • BRASIL • 2016

Título Original - **Bíblia do Churrasco – Costela & Cia**
Copyright © Editora Escala Ltda., 2016
ISBN: 978-85-389-0207-2

Direção editorial	Ethel Santaella
Coordenação editorial	Renata Armas
Edição de arte	Natália da Cruz
Realização	We2Design
Edição de texto	Maria Helena da Fonte
Consultoria e produção culinária	Janaína Resende
Edição de arte	Jairo Bittencourt
Preparação e revisão de texto	Marcela Almeida Fregonezi
Fotografia	Danilo Tanaka, Escala Imagens e Shutterstock

livrosescala@escala.com.br

Dados Internacionais de Catalogação na Publicação (CIP)
(Câmara Brasileira do Livro, SP, Brasil)

```
Churrasco de costela & cia / coordenação Renata
   Armas. -- 1. ed. -- São Paulo : Editora Escala,
   2016. -- (Coleção bíblia do churrasco)

   ISBN 978-85-389-0207-2

   1. Churrasco - Culinária 2. Receitas I. Armas,
Renata. II. Série.

15-11499                                    CDD-641.578
```

Índices para catálogo sistemático:

1. Churrasco : Culinária   641.578

Todos os direitos reservados. Nenhuma parte deste livro pode ser reproduzida por quaisquer meios existentes sem autorização por escrito dos editores e detentores dos direitos.
Av. Profª. Ida Kolb, 551, Jardim das Laranjeiras, São Paulo, CEP 02518-000
Tel.: +55 11 3855-2100 / Fax: +55 11 3857-9643
Venda de livros no atacado: tel.: +55 11 4446-7000 / +55 11 4446-7132 – vendas@escala.com.br * www.escala.com.br

Impressão e acabamento: Gráfica Oceano

ÍNDICE

SEGREDOS DO CHURRASCO
Conheça os cortes bovinos 6
Seis regras de ouro para comprar 9

RECEITAS
Costela no bafo 12
Costela na brasa 14
Costela desossada recheada 16
Costela acebolada na churrasqueira 18
Cupim no bafo 20
Cupim recheado na churrasqueira 22
Bife de raquete marinado no uísque 24
Churrasco de raquete ao molho pesto 26
Bife de raquete com gorgonzola e cebolinha 28
Coração de paleta assada 30
Peixinho na brasa 32
Sanduíche de brisket (peito) com cheddar 34
Brisket defumado 36
Brisket com molho barbecue caseiro 38
Brisket com molho de vinagre
da Carolina do Norte 40
Assado de tira 42
Cupim na brasa à moda gaúcha 44

CHURRASCO NO DIA A DIA
Churrasco de raquete com pimentas 48
Bife de raquete com mix de ervas 49
Peixinho com molho inglês 50
Bife de raquete com manteiga de alecrim 52
Costela na brasa 53
Brisket (peito) com molho barbecue 54
Bife de raquete com molho de mostarda 56
Bife de raquete com azeite de ervas 58
Sanduíche de brisket (peito) defumado 60
Bife de coração de paleta com ervas finas 61
Raquete com molho de vinho 62
Bife de raquete com pimenta rústica 64
Bife de coração de paleta ao shoyu 65
Espetinhos de raquete com legumes 66
Bife de coração de paleta com
manteiga de alecrim e pimenta 67

MANUAL DO BOM CHURRASQUEIRO
Saiba escolher e acertar o ponto da carne 68

ACOMPANHAMENTOS
Bolinho de abóbora com carne-seca
e mozarela 76
Bolinho frito de arroz 77
Pastelzinho de queijo 78
Croquete de feijoada 79
Cumbuquinha primavera 80
Fundos de alcachofra com creme de queijo 81
Salada de soja e vegetais 82
Salada grega com cogumelos e filé-mignon 83
Salada de macarrão com rúcula ao
vinagrete de laranja 84
Salada refrescante de cogumelos 85
Quiche de brócolis com kani 86
Torta integral de legumes 87
Quiche de legumes 88
Quiche de abobrinha 89
Pão de linhaça recheado 90
Pão de batata 91
Pasta picante de berinjela 92
Purê de cenoura com amêndoas 93
Suflê de cenoura 94
Suflê de palmito 95
Risoto de tofu e tomate cereja 96
Molho verde 97
Molho de alho 97

Conheça os cortes bovinos

Até alguns anos atrás acreditava-se que apenas os cortes traseiros, como picanha, fraldinha e maminha, fossem ideais para a brasa. Com o aperfeiçoamento genético e melhora no manejo do rebanho brasileiro, os dianteiros, antes conhecidos como de segunda, estão mais macios e suculentos e também servem para fazer um bom churrasco. Técnicas de corte, como a argentina e norte-americana, também são capazes de conferir sabores diferenciados a peças de uma mesma região do boi. Veja a seguir as principais delas e suas partes fundamentais:

Região da alcatra

1. PICANHA Um corte marmorizado, com característica capa de gordura, pode ser assada em uma peça única ou grelhada em partes. Quando preparada inteira, leva até 45 minutos para ficar pronta.

2. ALCATRA A versão gaúcha, servida no espeto, tem na porção superior uma parte da picanha, no centro, o miolo de alcatra, e na ponta inferior, a maminha. É um corte macio e com pouca gordura, perfeito para dar início ao churrasco, deixando as carnes mais gordurosas para o final.

BOMBOM Fica na parte do miolo de alcatra que está mais próximo da picanha, tem as mesmas características de sabor que o baby beef, sem a capa de gordura. Uma peça rende 5 porções.

BABY BEEF Este corte é retirado do miolo de alcatra, da parte mais próxima à maminha, é macio e tem uma pequena capa de gordura.

3. FRALDINHA É uma das carnes mais saborosas. Na argentina ela é o tradicional vacío; nos Estados Unidos, o skirt beef. É um corte com pouca gordura e fibras musculares bem abertas. Retire totalmente a membrana e mantenha apenas uma pequena quantidade de gordura na ponta.

4. MAMINHA Carne de sabor delicado, devido à baixa irrigação sanguínea, tem capa de gordura e sabor amanteigado.

CORAÇÃO DE PICANHA Este é um corte de aproximadamente 6 cm de grossura, feito do lado mais marmorizado da picanha, com o restante é tirado o bife de tira e steak de picanha.

BIFE DE TIRA É feito com o centro da picanha. Depois de separar o coração (que é o lado mais marmorizado), são feitas 2 a 3 tiras de 4 cm de grossura por todo o comprimento da peça.

STEAK DE PICANHA Fica do lado que tem menos marmoreio da picanha. Por ser da parte menos macia da peça, os bifes devem ter de 2 a 3 cm de espessura.

> "Uma técnica para preparar o Assado de tira é colocá-lo ainda congelado na churrasqueira. Basta passar os dedos úmidos pela carne para quebrar o gelo, sal e levar à grelha"
>
> **Dárcio Lazzarini**, Diretor do grupo Varanda

Região do contrafilé

1. CONTRAFILÉ O seu centro pode ser servido no espeto, como na versão gaúcha, ou ser desmembrado em diversos cortes como o bife de chorizo e o entrecôte. Localizado na região do lombo do boi, possui uma capa de gordura lateral e é uma carne marmorizada e suculenta.

BIFE ANCHO É retirado da parte central do contrafilé e mais próxima da parte dianteira do boi. Também é conhecido contrafilé alto. Tem gordura entremeada à carne e em toda a volta.

ENTRECÔTE Este corte fica no centro do contrafilé, e deve ser totalmente limpo, até ficar sem gordura. É o corte mais macio desta parte do boi. Uma peça rende até 6 porções.

OLHO DE BIFE Da mesma região usada para fazer o bife ancho, a diferença está na maneira de cortar. Retire uma fatia de mais ou menos 8 cm da parte mais próxima do dianteiro, corte

DICA DE CHURRASQUEIRO

O cupim é uma carne que precisa ser assada lentamente. O melhor método é enrolar a peça em papel-celofane para que cozinhe em seus próprios líquidos.

essa fatia ao meio sem deixar separar as duas partes e abra. Fica perfeito na grelha.

BIFE DE CHORIZO Retirado da parte do contrafilé que está mais próxima do traseiro do boi, é uma carne que tem gordura entremeada.

BANANINHA Um pequeno pedaço entre a costela e o contrafilé. São tiras de 4 cm com gordura entremeada na carne.

2. NOIX É a continuação do contrafilé, indo em direção ao dianteiro do boi. A gordura fica no meio da carne, deixando-a extremamente suculenta. Tem sabor amanteigado devido à sua característica marmorizada.

3. FILÉ-MIGNON A melhor parte para levar à churrasqueira é o centro da peça. Macio e com pouca gordura, pode ser servido como a primeira carne do churrasco. Corte sempre contra as fibras e grelhe no fundo da churrasqueira, que é mais quente.

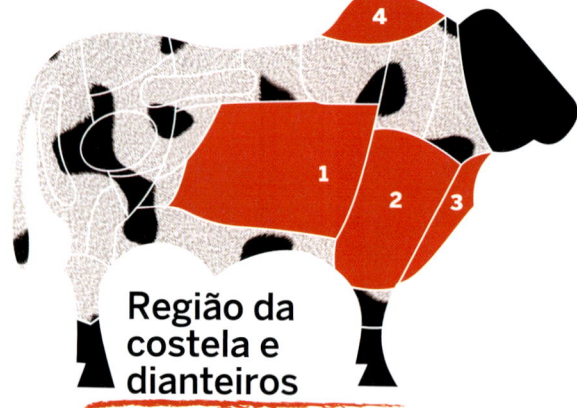

Região da costela e dianteiros

1. COSTELA Uma peça rica e saborosa, precisa de muitas horas de churrasqueira para ficar no ponto, por isso a opção pela cocção no bafo ou envolta em papel-alumínio ou celofane é usada para acelerar o processo. Pode demorar até 12 horas no fogo de chão para ficar pronta.

ASSADO DE TIRA ou costela de ripa são tiras da costela extraídas por meio de cortes transversais. Tem sabor acentuado.

COSTELA DO VAZIO É a parte com menos ossos da costela, tem uma camada de gordura de um lado e uma membrana do outro lado.

COSTELA CENTRAL Também conhecida como janela, tem mais ossos e é a parte mais suculenta da peça. Forma uma casquinha, o matambre, que é muito apreciado como aperitivo.

2. RAQUETE Fica logo acima do músculo, tem fibras longas e gordura concentrada. Muito saborosa, que deve ser assada lentamente.

CORAÇÃO DA PALETA Também conhecido como centro da paleta, está ao lado do peixinho e da raquete. Fica muito macio quando assado em fogo lento ou a bafo.

PEIXINHO Fica próximo ao pescoço e ao acém. Essa parte fica perfeita quando assada lentamente e cortada em fatias finas.

3. BRISKET Parte do dianteiro do boi constituída de músculos e fibras grossas e compridas. Necessita de cozimento longo em calor úmido. Usar uma churrasqueira a bafo é a melhor técnica para assar.

4. CUPIM São fibras musculares entremeadas de gordura, ficam logo atrás do pescoço dos gados zebuínos. Deve ser assado lentamente, enrolado em camadas de papel-celofane. Esse processo distribui o calor uniformemente e cozinha a carne em seus próprios líquidos.

6 regras de ouro para comprar

1 Escolha bem o estabelecimento onde vai adquirir as carnes. O local deve ter balcão frigorífico ou geladeiras fechadas com temperatura constante, peças separadas por espécies, como bovinos, suínos e aves.

2 Dê preferência para as carnes embaladas a vácuo e com o selo do Serviço de Inspeção Federal (SIF).

3 Opte pelas carnes marmorizadas, com gordura entre as fibras, que conferem sabor especial.

4 Preste atenção ao cheiro, ele deve ser agradável. Observe também a textura, rígida, que volta à forma quando é apertada com o dedo, e a cor vermelho-vivo.

5 Peças com capa de gordura, como picanha, maminha e contrafilé, devem ter uma camada homogênea, sem marcas de sangue coagulado e num tom amarelo bem claro.

6 Escolha carnes maturadas, pois o processo torna a carne mais macia e suculenta. Neste caso, a cor da carne aparece escura na embalagem, por estar concentrada, mas se torna vermelha novamente 5 minutos depois de aberta e entrar em contato com o ar.

COSTELA, CUPIM E CORTES DIANTEIROS
SABORES IRRESISTÍVEIS

Estão entre os cortes mais gostosos do boi. A presença de gordura e a proximidade com os ossos conferem texturas e aromas diferenciados à carne. Veja a seguir uma seleção de receitas de dar água na boca

COSTELA NO BAFO

Rendimento: 6 porções
Tempo de preparo: 4h (mais 12h de marinada)

INGREDIENTES
- 2 kg de costela de boi
- 300 ml de água
- 6 dentes de alho
- 1 cebola cortada em cubos
- 1 colher (chá) de manjerona desidratada
- 1 colher (chá) de manjericão desidratado
- 1 colher (chá) de alecrim desidratado
- 1 colher (chá) de sálvia desidratada
- 150 g de sal grosso
- Papel-celofane culinário
- Barbante culinário

MODO DE PREPARO
- No liquidificador, bata a água, o alho, a cebola, a manjerona, o manjericão, o alecrim e a sálvia.
- Coloque a costela num recipiente com a marinada, salpique sal grosso, tampe e leve à geladeira por 12 horas.
- Acenda o carvão na churrasqueira de bafo e deixe o braseiro ficar uniforme, por mais ou menos 40 minutos.
- Depois da pausa, enrole 2 voltas de papel-celofane formando um pacote. Amarre as extremidades com barbante e coloque a costela na churrasqueira a bafo e deixe assando por uma hora.
- Vire o pacote e deixe assar por mais 2 horas. Retire da churrasqueira, abra e sirva em seguida.

PARA HARMONIZAR COM O PRATO
Carnes com gordura combinam muito bem com cervejas do tipo India Pale Ale. De alta fermentação, têm sabor forte de lúpulo e teor alcoólico elevado, que varia de 5% a 7%

COSTELA NA BRASA

Rendimento: 8 porções
Tempo de preparo: 4h

INGREDIENTES
- 2 kg de costela de boi
- Sal grosso a gosto
- 5 dentes de alho inteiros
- 1 cabeça de alho
- 2 pimentas dedo-de-moça
- 1 colher (sopa) de alecrim fresco
- Azeite de oliva a gosto
- Papel-alumínio

MODO DE PREPARO
- Acenda o carvão na churrasqueira e deixe o braseiro ficar uniforme, por mais ou menos 40 minutos.
- Corte um pedaço de papel-alumínio e dobre 3 vezes. Disponha a costela no centro, polvilhe o sal grosso.
- Acrescente os dentes de alho e as pimentas inteiras.
- No meio, coloque a cabeça de alho inteira, sem a tampa. Polvilhe sal grosso na cabeça de alho, salpique o alecrim e regue tudo com um fio de azeite.
- Feche o papel-alumínio fazendo um embrulho.
- Leve à churrasqueira a 60 cm da brasa e deixe assar por 1 hora, vire e deixe mais 2 horas.
- Retire da churrasqueira, retire o papel-alumínio e volte para a brasa a uma distância de 15 cm para dourar por mais 10 minutos.
- Tire do fogo, aguarde 5 minutos e sirva em seguida.

COSTELA DESOSSADA RECHEADA

Rendimento: 6 porções
Tempo de preparo: 3h

INGREDIENTES
- 1 kg de costela bovina desossada
- 200 g de mozarela
- 200 g de presunto
- ½ lata de cerveja preta
- 1 pacote de creme de cebola
- 1 xícara (chá) de maionese
- 1 colher (sopa) de mostarda
- Barbante culinário

MODO DE PREPARO
- Acenda o carvão na churrasqueira e deixe o braseiro ficar uniforme, por mais ou menos 40 minutos.
- Coloque uma fatia de mozarela sobre uma de presunto e faça rolinhos.
- Encaixe os rolinhos nos espaços onde estavam os ossos da costela e feche com barbante culinário. Reserve.
- Misture a cerveja, o creme de cebola, a maionese e a mostarda.
- Coloque a costela com a gordura virada para baixo sobre papel-alumínio dobrado 3 vezes.
- Espalhe a mistura de cerveja, feche o papel-alumínio e leve à churrasqueira a 60 cm da brasa por 1 hora.
- Vire o pacote e deixe mais 1 hora.
- Retire da churrasqueira e sirva em seguida.

PARA HARMONIZAR COM O PRATO

A costela recheada combina com cervejas tipo inglesas, como a Brown Ale, que tem cor cobre, teor alcoólico de 4% a 5% e deve ser servida entre 8°C e 12°C.

COSTELA ACEBOLADA NA CHURRASQUEIRA

Rendimento: 8 porções
Tempo de preparo: 4h

INGREDIENTES
- **2 kg de costela de boi**
- **Sal grosso a gosto**
- **1 cebola grande cortada em tiras**
- **Papel celofane culinário**
- **Barbante culinário**

MODO DE PREPARO
- Acenda o carvão na churrasqueira e deixe o braseiro ficar uniforme, por mais ou menos 40 minutos.
- Ponha a peça de costela sobre uma superfície e faça furos profundos até atingir os ossos.
- Coloque uma tira de cebola dentro de cada furo.
- Tempere com o sal grosso e espete em um espeto duplo.
- Enrole com o papel celofane e amarre bem as pontas com o barbante.
- Leve à churrasqueira a 60 cm da brasa por cerca de 3 horas, virando sempre.
- Tire o papel-celofane e deixe mais 15 minutos para dourar.
- Retire da brasa, deixe descansar por 5 minutos e sirva em seguida.

PARA HARMONIZAR COM O PRATO

A costela assada combina bem com cervejas do tipo India Pale Ale. De alta fermentação, têm sabor forte de lúpulo e teor alcoólico elevado, que varia de 5% a 7%

CUPIM NO BAFO

Rendimento: 8 porções • Tempo de preparo: 4h (mais 12h de marinada)

INGREDIENTES
- 1 peça de cupim
- 1 maço de salsinha
- 1 colher (sopa) de cebolinha
- 10 dentes de alho
- 4 folhas de louro
- Pimenta-do-reino a gosto
- Sal grosso a gosto
- 1 garrafa de vinho branco seco
- 5 laranjas
- 1 colher (chá) de sal fino
- Saco plástico culinário
- Papel-celofane culinário
- Barbante culinário

MODO DE PREPARO
- Acenda o carvão na churrasqueira e deixe o braseiro ficar uniforme, por mais ou menos 40 minutos.
- Limpe bem a carne e reserve.
- Descasque as laranjas e reserve as cascas.
- Esprema o suco e leve ao liquidificador, junte o sal fino, o vinho, uma colher (sopa) de salsa, uma colher (sopa) de cebolinha, 3 dentes de alho, a pimenta-do-reino e o louro. Bata a marinada até ficar homogêneo.
- Faça furos no cupim com uma faca bem afiada e coloque nos buracos os dentes de alho restantes.
- Coloque o cupim, a marinada, as cascas de laranja e o restante da salsa e cebolinha picadas no saco plástico e deixe na geladeira por no mínimo 12 horas.
- Retire o cupim do saco plástico e reserve a marinada.
- Tempere a peça com sal grosso e deixe repousar por 10 minutos.
- Coloque a carne no espeto e envolva com papel-celofane, dando pelo menos 6 voltas. Feche uma das pontas com barbante próprio para culinária deixando 5 cm de distância da peça para a amarração.
- Despeje um pouco da marinada pelo outro lado e amarre, deixando o mesmo espaço entre a peça e a amarração.
- Coloque o espeto na churrasqueira a uma distância de 60 cm da brasa e deixe assar por 3 horas, virando sempre.
- Tire o papel-celofane, desça o espeto para 40 cm da brasa e deixe dourar por mais 40 minutos.
- Retire da brasa, deixe descansar por 5 minutos, fatie e sirva.

Com alto teor de gordura, o cupim combina com cervejas tipo inglesas, como a Brown Ale, que tem cor cobre, teor alcoólico de 4% a 5% e deve ser servida entre 8°C e 12°C

PARA HARMONIZAR COM O PRATO

CUPIM RECHEADO NA CHURRASQUEIRA

Rendimento: 8 porções
Tempo de preparo: 4h (mais 12h de marinada)

INGREDIENTES
- 1 peça de cupim
- 200 g de provolone em cubos médios
- 200 g de bacon em cubos médios
- 200 g de linguiça calabresa fresca sem a pele
- Sal grosso a gosto
- Papel-alumínio

MODO DE PREPARO
- Acenda o carvão na churrasqueira e deixe o braseiro ficar uniforme, por mais ou menos 40 minutos.
- Com uma faca, faça vários furos no cupim. Em cada furo, coloque um pedaço de queijo, um de bacon e, para fechar o furo, um pouco de linguiça. Faça isso em toda a peça.
- Coloque o cupim recheado em um espeto duplo e tempere com sal grosso por toda a volta, apertando um pouco para que o sal fique colado à carne.
- Enrole em papel-alumínio, dando quatro voltas e fechando bem as pontas.
- Leve à churrasqueira a uma distância de 60 cm da brasa e deixe assar por cerca de quatro horas, virando sempre.
- Retire o papel, bata as costas de uma faca pela carne para retirar o excesso de sal e volte à brasa, a 40 cm do fogo, por mais 30 minutos para dourar.
- Retire da churrasqueira, deixe descansar por 5 minutos, fatie e sirva.

BIFE DE RAQUETE GRELHADO MARINADO NO UÍSQUE

Rendimento: 4 porções
Tempo de preparo: 1h30

INGREDIENTES
- 4 bifes de raquete de 200 g cada
- 160 ml de azeite de oliva
- 3 colheres (sopa) de uísque
- 3 colheres (sopa) de molho de soja
- 1 colher (sopa) de alho picado
- 1 colher (sopa) de pimenta-do-reino moída
- 1 colher (sopa) de salsa fresca picada
- ½ colher (chá) de tomilho seco
- 1/8 de colher (chá) de alecrim seco triturado
- Saco plástico culinário

MODO DE PREPARO
- Coloque o azeite com o uísque, o molho de soja, o alho, a pimenta, a salsa, o tomilho e o alecrim no saco plástico. Feche e sacuda para misturar bem os ingredientes.
- Acrescente os bifes à marinada e feche o saco retirando o máximo de ar possível.
- Leve à geladeira por 1 hora.
- Acenda o carvão na churrasqueira e deixe o braseiro ficar uniforme, por mais ou menos 40 minutos.
- Retire os bifes da marinada e deixe-os voltarem à temperatura ambiente por 5 minutos.
- Leve a carne à churrasqueira, a uma distância de 15 cm da brasa.
- Quando começar a soltar líquidos, vire e deixe mais 3 minutos.
- Retire da grelha e deixe descansar por 10 minutos em uma assadeira.
- Sirva em seguida.

CHURRASCO DE RAQUETE AO MOLHO PESTO

Rendimento: 4 porções
Tempo de preparo: 1h

INGREDIENTES
- 1 peça de raquete
- 4 dentes de alho
- 2 xícaras (chá) de folhas frescas de manjericão
- 1/3 de xícara de pinoli ou nozes
- ½ xícara de azeite de oliva
- ½ xícara de queijo parmesão ralado
- 1 e ½ colheres (sopa) de suco de limão
- 3/4 de colher (chá) de pimenta calabresa
- 2 dentes grandes de alho picados
- Sal e pimenta-do-reino a gosto

MODO DE PREPARO
- Acenda o carvão na churrasqueira e deixe o braseiro ficar uniforme, por mais ou menos 40 minutos.
- Pique os dentes de alho no processador de alimentos. Adicione o manjericão, o pinoli (ou nozes) e misture bem.
- Coloque o azeite de oliva em fio com o processador ligado. Junte o queijo parmesão, o suco de limão e a pimenta calabresa.
- Tempere a gosto com sal e pimenta-do-reino e reserve.
- Tempere a carne com o alho picado, sal e pimenta a gosto. Reserve.
- Coloque a carne na grelha a uma distância de 15 centímetros da brasa e cubra com o pesto.
- Vire quando começar a soltar líquidos, coloque mais um pouco de pesto e deixe mais 4 minutos.
- Depois de assada, cubra com o restante do molho e sirva.

PARA HARMONIZAR COM O PRATO
Um prato bastante herbal pede uma cerveja com essa característica. A Tripel tem alto teor alcoólico, para limpar a untuosidade do azeite, e aromas frutados

BIFE DE RAQUETE GRELHADO COM GORGONZOLA E CEBOLINHA

Rendimento: 4 porções • Tempo de preparo: 1h

INGREDIENTES
- 4 bifes de raquete de 200 g cada
- 2 colheres (sopa) de vinagre de vinho tinto
- 2 dentes de alho picados
- 1 colher (sopa) de pimenta-do-reino moída
- 1 colher (chá) de alecrim seco
- 1 colher (chá) de orégano seco
- 1/4 de colher (chá) de sal fino
- 1/4 de xícara (60 ml) de azeite de oliva
- 3 colheres (sopa) de manteiga sem sal amolecida
- 50 g de gorgonzola picado
- 1 colher (sopa) de cebolinha francesa picada
- 1 pitada de pimenta-do-reino moída
- Saco plástico culinário

MODO DE PREPARO
- Em um recipiente, faça uma marinada com o vinagre, o alho, a pimenta, o alecrim, o orégano, o sal e o azeite.
- Coloque a carne no saco plástico, despeje a marinada, tire o excesso de ar e feche.
- Deixe descansar na geladeira por 30 minutos.
- Acenda o carvão na churrasqueira e deixe o braseiro ficar uniforme, por mais ou menos 40 minutos.
- Retire a carne, descarte a marinada e deixe descansar por 15 minutos em temperatura ambiente.
- Misture a manteiga, o queijo, a cebolinha e a pimenta-do-reino e reserve.
- Coloque a carne na grelha a uma distância de 15 centímetros da brasa.
- Vire quando começar a soltar líquidos e deixe mais 4 minutos.
- Retire da grelha e deixe descansar por 10 minutos em local aquecido.
- Faça fatias contra a fibra da carne, regue com a mistura de queijo e manteiga e sirva em seguida.

CORAÇÃO DE PALETA ASSADA

Rendimento: 6 porções
Tempo de preparo: 3h

INGREDIENTES
- 2 kg de coração de paleta
- 200 g de maionese
- Salsa desidratada a gosto
- 100 ml de vinho tinto seco
- 50 ml de molho shoyu a gosto
- 1 cabeça de alho picado
- 1 cebola média picada
- Sal grosso a gosto
- Papel-alumínio

MODO DE PREPARO
- Limpe bem a peça, retirando parte da gordura.
- Em um recipiente, misture bem os demais ingredientes, exceto o sal grosso.
- Envolva a carne nesta mistura e distribua o sal grosso por todos os lados da peça.
- Dobre o papel-alumínio três vezes e embrulhe a paleta. Deixe descansar por 1 hora na geladeira.
- Acenda o carvão na churrasqueira e deixe o braseiro ficar uniforme, por mais ou menos 40 minutos.
- Leve a peça à churrasqueira a uma distância de 60 cm da brasa por 90 minutos.
- Retire o papel-alumínio, baixe a grelha para 15 centímetros do fogo e deixe dourar por 20 minutos, virando sempre.
- Fatie e sirva em seguida.

PARA HARMONIZAR COM O PRATO

Carnes com pouca gordura harmonizam com cervejas do tipo Vienna Lager. A forte presença de malte combina perfeitamente com carnes magras. Tem cor entre o vermelho-claro e o cobre. Sirva entre 4°C e 6°C

PEIXINHO NA BRASA COM ERVILHA TORTA

Rendimento: 8 porções
Tempo de preparo: 1h10

INGREDIENTES
- 1 peça de peixinho
- Sal grosso em grãos médios a gosto
- 300 g de ervilha torta
- 1 litro de água fervente
- 1 litro de água gelada
- Sal fino e pimenta-do-reino a gosto
- 2 colheres (sopa) de manteiga

MODO DE PREPARO
- Acenda o carvão na churrasqueira e deixe o braseiro ficar uniforme, por mais ou menos 40 minutos.
- Espete o peixinho em um espeto.
- Espalhe o sal grosso por toda a carne.
- Deixe descansar por 3 minutos para o sal penetrar na peça.
- Sele a carne colocando o espeto a 15 centímetros da brasa por 5 minutos, virando sempre.
- Suba o espeto para 40 centímetros do fogo e deixe por 20 minutos, vire e deixe mais 20 minutos.
- Coloque as ervilhas na água fervente, deixe por 1 minuto e escorra.
- Despeje imediatamente na água gelada, aguarde 4 minutos e retire da água.
- Aqueça um frigideira e grelhe as ervilhas em fogo alto por 5 minutos.
- Acrescente a manteiga, o sal e a pimenta.
- Frite por 2 minutos, desligue o fogo e reserve.
- Retire a carne da churrasqueira e deixe descansar por 5 minutos.
- Fatie no sentido contrário às fibras e sirva com as ervilhas.

PARA HARMONIZAR COM O PRATO

Carnes preparadas do modo tradicional vão bem com cervejas do tipo Vienna Lager. A forte presença de malte harmoniza perfeitamente com carnes magras. Tem cor entre o vermelho-claro e o cobre. Sirva entre 4°C e 6°C

SANDUÍCHE DE BRISKET (PEITO) COM CHEDDAR

Rendimento: 12 porções • Tempo de preparo: 4h

INGREDIENTES
- 1,8 kg de carne de peito bovino
- 2 colheres (sopa) de pimenta-do-reino moída
- 2 colheres (sopa) de sal
- 1 colher (sopa) de alho em pó
- 1 colher (sopa) de açúcar
- 2 colheres (chá) de mostarda em pó
- 1 folha de louro esmagada
- 1 e ½ xícara de caldo de carne
- 400 g de cheddar processado
- 3/4 de xícara de leite
- 25 ml de uísque do Tennessee
- 300 g de bacon em cubos
- Papel toalha
- Molho barbecue industrializado a gosto
- 12 pães tipo português ou ciabatta
- Folhas de rúcula

MODO DE PREPARO
- Acenda o carvão na churrasqueira de bafo e deixe o braseiro ficar uniforme, por mais ou menos 40 minutos, em temperatura baixa.
- Antes de colocar a carne jogue algumas lascas de lenha para dar um gosto defumado.
- Misture bem a pimenta, o sal, o alho, o açúcar, a mostarda e a folha de louro e tempere a carne.
- Coloque a peça com a gordura virada para cima em uma assadeira, adicione o caldo de carne, leve à churrasqueira em temperatura moderada por 3 horas ou até que esteja soltando do garfo.
- Misture o leite com o uísque do Tennessee e leve para ferver em fogo baixo, mexendo sempre.
- Em um processador coloque o queijo cheddar e vá adicionando o leite aos poucos, até conseguir uma textura de molho. Reserve
- Espalhe os cubos de bacon em uma assadeira, leve ao forno preaquecido a 190ºC e asse por 25 minutos ou até dourar.
- Retire do forno e transfira para um papel toalha para absorver a gordura. Reserve.
- Retire a carne da churrasqueira, descarte o excesso de gordura e regue com o caldo da assadeira.
- Sele os pães em uma chapa ou frigideira, coloque o peito bovino desfiado, o molho barbecue, o molho cheddar e pedaços de bacon. Sirva em seguida.

PARA HARMONIZAR COM O PRATO

Queijos gordurosos, como o cheddar, pedem cervejas mais potentes, principalmente as belgas tipo Tripel, que têm alto teor alcoólico e dulçor

BRISKET DEFUMADO

Rendimento: 8 porções
Tempo de preparo: 4h

INGREDIENTES
- 1 peça de brisket
- 1 colher (sopa) de sal grosso
- 2 colheres (sopa) de pimenta-do-reino moída
- 2 colheres (chá) de açúcar
- 1 colher (chá) de cominho em pó
- Plástico filme
- 1 lata de cerveja preta

MODO DE PREPARO
- Misture o sal, a pimenta, o açúcar e o cominho em um recipiente.
- Esfregue a mistura de especiarias na carne por todos os lados.
- Embrulhe a peça em plástico filme e deixe na geladeira por 8 horas.
- Acenda o carvão na churrasqueira de bafo e deixe o braseiro ficar uniforme, por mais ou menos 40 minutos, em temperatura baixa.
- Antes de colocar a carne jogue algumas lascas de lenha para dar gosto defumado.
- Coloque o peito, com o lado da gordura para cima, em uma forma de alumínio. Coloque o recipiente no centro da grelha, adicione a cerveja e feche a churrasqueira.
- Regue o peito de vez em quando com a gordura e o líquido que for acumulando na bandeja.
- Deixe assar em temperatura moderada por 3 horas ou até que esteja soltando do garfo.
- Retire a forma da grelha e deixe descansar por 15 minutos.
- Transfira o brisket para uma tábua de corte e fatie-o.
- Coloque a carne em fatias em uma travessa, despeje o caldo da forma por cima da carne e sirva imediatamente.

PARA HARMONIZAR COM O PRATO

Para atenuar a picância desta receita, é indicada uma cerveja do tipo Brown Ale, que tem baixo teor alcoólico, cor cobre e sabores suaves de lúpulo e presença residual de malte

BRISKET COM MOLHO BARBECUE CASEIRO
Rendimento: 8 porções • Tempo de preparo: 4h

INGREDIENTES
- 1,8 kg de carne de brisket
- 2 colheres (sopa) de pimenta-do-reino moída
- 2 colheres (sopa) de sal
- 1 colher (sopa) de alho em pó
- 1 colher (sopa) de açúcar
- 2 colheres (chá) de mostarda em pó
- 1 folha de louro esmagada
- 1 e ½ xícara de caldo de carne

MOLHO
- 3 colheres (sopa) de óleo vegetal
- 1 cebola média picada
- 1 dente de alho picado
- 1/4 de pimentão verde sem sementes e picado
- ½ xícara de ketchup
- ½ xícara de molho de tomate
- 3 colheres (sopa) de vinagre de cidra
- 3 colheres (sopa) de molho inglês
- 2 colheres (sopa) de suco de limão
- 2 colheres (sopa) de suco de abacaxi
- 1 colher (chá) de molho de pimenta
- 2 colheres (sopa) de melado
- 3 colheres (sopa) de açúcar mascavo
- 2 colheres (sopa) de mostarda
- 1 colher (chá) de mostarda em pó
- ½ colher (chá) de pimenta-do-reino moída
- 1 xícara (chá) de água
- Sal fino a gosto
- 1 lata de cerveja em temperatura ambiente

MODO DE PREPARO
- Acenda o carvão na churrasqueira de bafo e deixe o braseiro ficar uniforme, por mais ou menos 40 minutos, em temperatura baixa.
- Antes de colocar a carne jogue algumas lascas de lenha para dar gosto defumado.
- Misture bem a pimenta, o sal, o alho, o açúcar, a mostarda e a folha de louro e tempere a carne.
- Coloque a peça com a gordura virada para cima em uma assadeira, adicione o caldo de carne, leve à churrasqueira em temperatura moderada por 3 horas ou até que esteja soltando do garfo.
- Aqueça o óleo em uma panela grande em fogo médio. Adicione a cebola, o alho e o pimentão e refogue até ficarem macios, mas sem dourar, por cerca de 4 minutos.
- Acrescente o ketchup, o molho de tomate, o vinagre, o molho inglês, o suco de limão, o suco de abacaxi, o molho de pimenta, duas colheres de sopa do líquido da assadeira, o melado, o açúcar mascavo, a mostarda, a pimenta-do-reino, a água, o sal e leve para ferver.
- Reduza o fogo e deixe o molho reduzir por cerca de 15 minutos, mexendo sempre para evitar queimar. Se o molho ficar muito grosso, adicione um pouco mais de água. Adicione a cerveja, deixe aquecer e desligue o fogo. Reserve.
- Transfira o brisket para uma tábua de corte, fatie e sirva com o molho ainda morno.

PARA HARMONIZAR COM O PRATO

O brisket com molho combina com cervejas tipo inglesas, como a Brown Ale, que tem cor cobre, teor alcoólico de 4% a 5% e deve ser servida entre 8°C e 12°C

Costela & Cia. | Bíblia do Churrasco | 39

BRISKET COM MOLHO DE VINAGRE DA CAROLINA DO NORTE

Rendimento: 8 porções • Tempo de preparo: 4h

INGREDIENTES
- 1,8 kg de carne de brisket
- 2 colheres (sopa) de pimenta-do-reino moída
- 2 colheres (sopa) de sal
- 1 colher (sopa) de alho em pó
- 1 colher (sopa) de açúcar
- 2 colheres (chá) de mostarda em pó
- 1 folha de louro esmagada
- 1 e ½ xícara de caldo de carne

MOLHO
- 1 e ½ xícara de vinagre de cidra
- 1 xícara (chá) de água
- 1 colher (sopa) de açúcar
- 1 colher (sopa) de flocos de pimenta vermelha
- 1 cebola pequena cortada em fatias finas
- 1 pimenta tipo jalapeño em fatias finas
- 2 colheres (chá) de sal fino
- ¼ de xícara (chá) de azeite

MODO DE PREPARO
- Acenda o carvão na churrasqueira de bafo e deixe o braseiro ficar uniforme, por mais ou menos 40 minutos, em temperatura baixa.
- Antes de colocar a carne jogue algumas lascas de lenha para dar gosto defumado.
- Misture bem a pimenta, o sal, o alho, o açúcar, a mostarda e a folha de louro e tempere a carne.
- Coloque a peça com a gordura virada para cima em uma assadeira, adicione o caldo de carne, leve à churrasqueira em temperatura moderada por 3 horas ou até que esteja soltando do garfo.
- Junte todos os ingredientes do molho, misture bem e reserve.
- Retire a carne da churrasqueira, fatie e sirva acompanhada do molho.

PARA HARMONIZAR COM O PRATO

Carnes bem temperadas harmonizam com cervejas de sabor maltado, como as Bohemian Pilsen, que têm baixa fermentação e devem ser servidas geladas, entre 0°C e 4°C

ASSADO DE TIRA

Rendimento: 4 porções
Tempo de preparo: 1h

INGREDIENTES
- 8 tiras de costela de vaca
- Sal grosso triturado em grãos finos
- Pimenta-do-reino a gosto

MODO DE PREPARO
- Acenda o carvão na churrasqueira e deixe o braseiro ficar uniforme, por mais ou menos 40 minutos.
- Coloque as tiras na grelha a uma distância de 15 cm da brasa. Tempere com o sal e a pimenta-do-reino.
- Deixe assar por aproximadamente 5 minutos ou até a carne começar a soltar líquidos.
- Vire e deixe mais 4 minutos.
- Retire a carne da churrasqueira e sirva em seguida.

PARA HARMONIZAR COM O PRATO

Assado de tira preparado na grelha vai bem com cervejas do tipo India Pale Ale. De alta fermentação, têm sabor forte de lúpulo, teor alcoólico elevado, que varia de 5% a 7%, e sabor refrescante

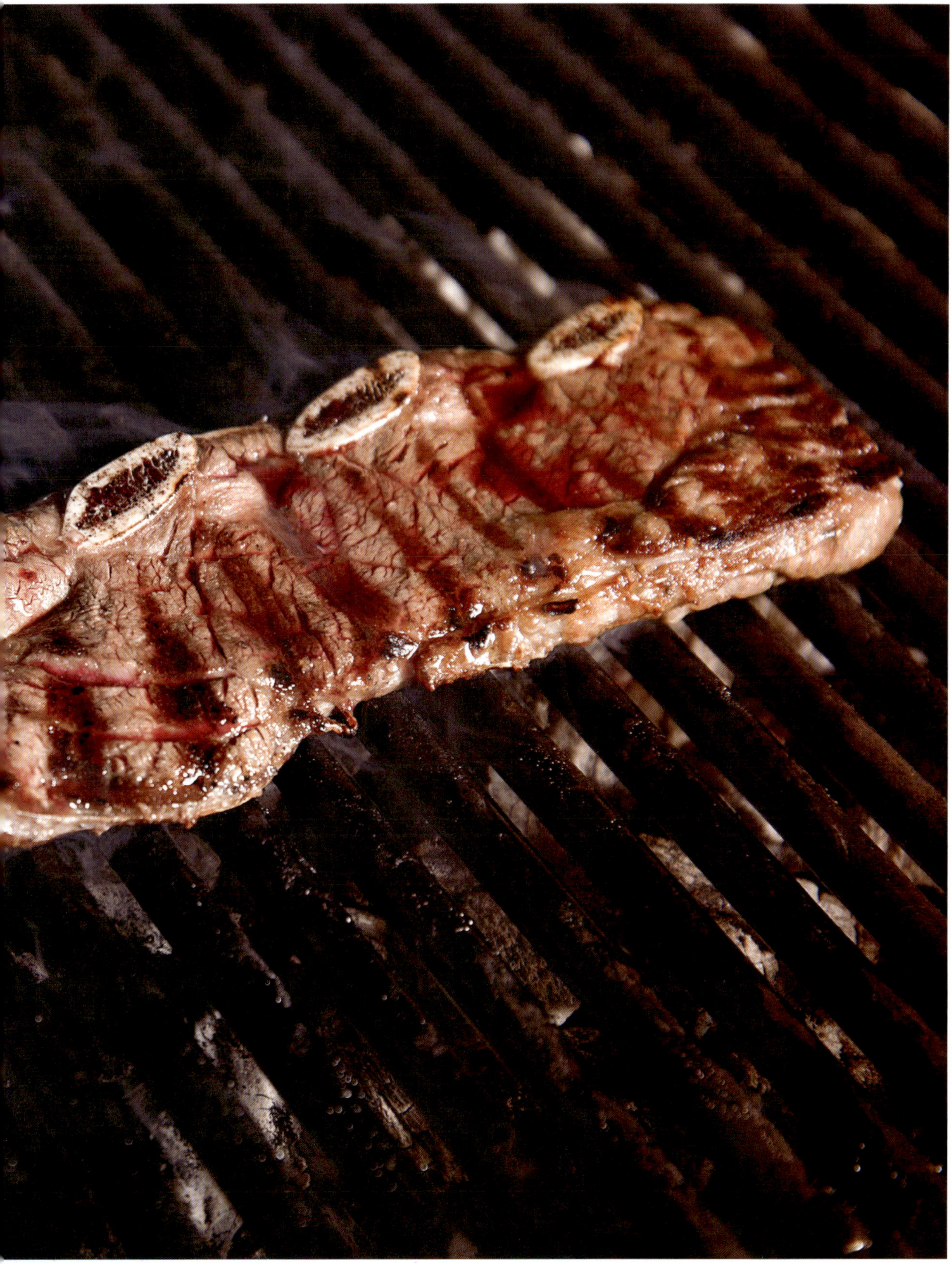

CUPIM NA BRASA À MODA GAÚCHA

Rendimento: 4 porções
Tempo de preparo: 2h40 (mais 12 horas de marinada)

INGREDIENTES
- 1 peça de cupim
- 1 taça de vinho branco seco
- 1 copo de suco de laranja
- 2 colheres (sopa) de alho picado
- 2 colheres (sopa) de cebola picada
- 3 colheres (sopa) de sal grosso
- Plástico filme
- Papel-celofane próprio para culinária

MODO DE PREPARO
- Coloque a carne em um recipiente e fure toda a peça com uma faca fina e comprida.
- Acrescente o vinho e o suco de laranja, massageando os líquidos na carne.
- Espalhe bem o alho e a cebola por toda a peça.
- Tempere com o sal grosso, cubra o recipiente com plástico filme e deixe descansar por 12 horas na geladeira.
- Acenda o carvão na churrasqueira e deixe o braseiro ficar uniforme, por mais ou menos 40 minutos.
- Espete o cupim em um espeto simples, deixando bem centralizado.
- Embrulhe a peça com o papel-celofane dando 6 voltas e deixando uma folga para que os líquidos não escapem.
- Feche bem as pontas como se fosse uma bala e amarre com uma tira torcida do papel para ficar bem vedado.
- Leve ao braseiro a uma distância de 50 cm da brasa por 2 horas, deixando 1 hora de cada lado.
- Retire o celofane e volte para a churrasqueira até ficar dourado.
- Tire a carne da brasa, retire o espeto, fatie e sirva em seguida.

PARA HARMONIZAR COM O PRATO

Com alto teor de gordura, o cupim combina com cervejas tipo inglesas, como a Brown Ale, que tem cor cobre, teor alcoólico de 4% a 5% e deve ser servida entre 8°C e 12°C

CHURRASCO NO DIA A DIA

Uma boa carne é irresistível, ainda mais quando preparada na churraqueira ou na grelha do fogão. Para poder aproveitar sempre esses sabores, selecionamos receitas deliciosas e fáceis de fazer. Escolha a sua e bom apetite!

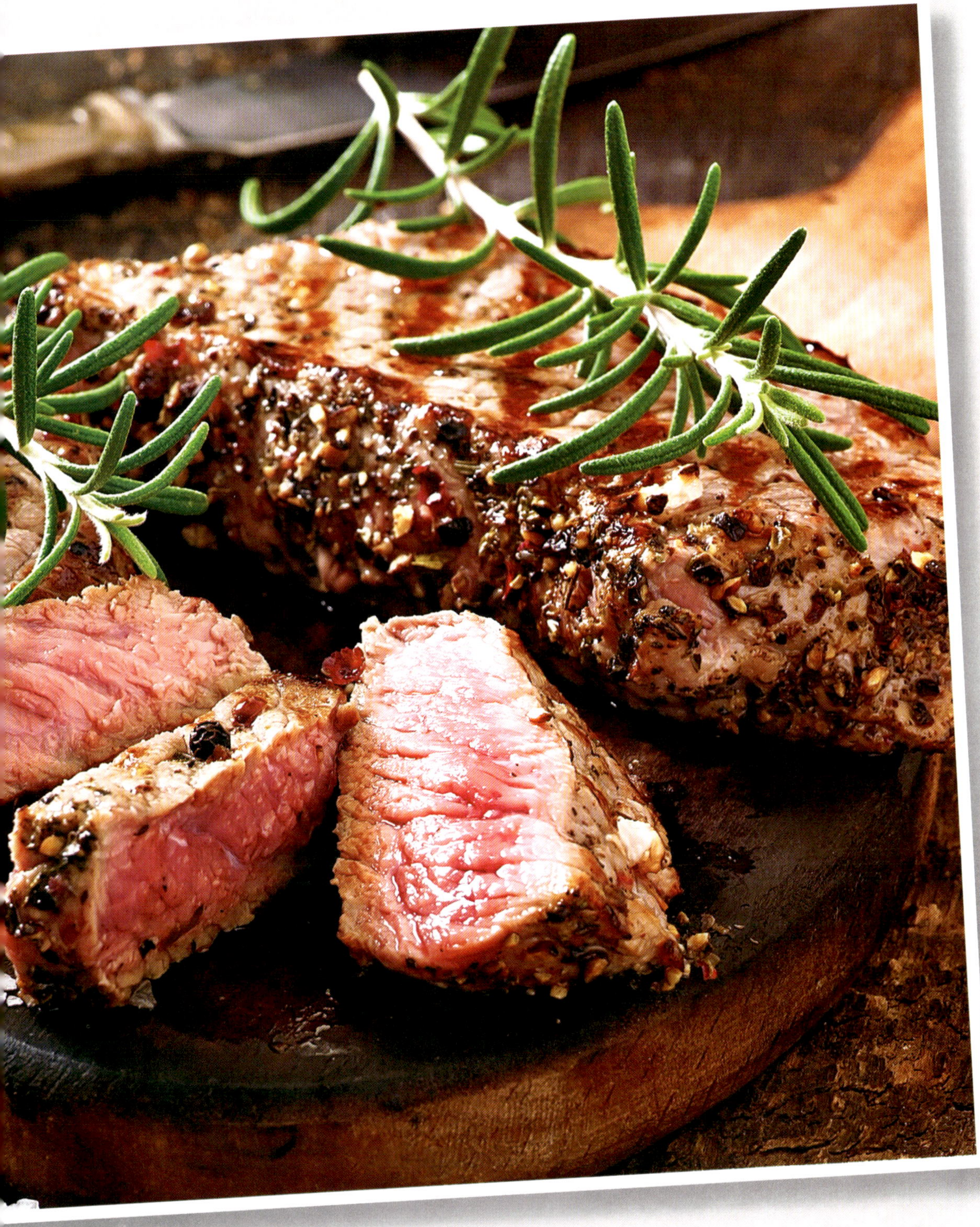

CHURRASCO DE RAQUETE COM PIMENTAS

Rendimento: 5 porções
Tempo de preparo: 1h45

INGREDIENTES
- 5 bifes grossos de raquete
- 1 colher (chá) de pimenta-do-reino branca
- 1 colher (chá) de pimenta rosa
- 2 colheres (sopa) de sal grosso em grãos médios
- Ramos de alecrim

MODO DE PREPARO
- Acenda o carvão na churrasqueira e deixe o braseiro ficar uniforme, por mais ou menos 40 minutos.
- Triture as pimentas com o sal em um pilão e tempere a carne com a mistura.
- Leve a carne para a grelha, a uma distância de 15 cm da brasa. Quando a carne começar a soltar líquido é hora de virar. Deixe por mais 10 minutos e estará pronta.
- Salpique alecrim e pimenta rosa, fatie e sirva em seguida.

BIFE DE RAQUETE COM MIX DE ERVAS

Rendimento: 4 porções
Tempo de preparo: 1h10

INGREDIENTES
- ⅓ de xícara (chá) de azeite de oliva
- 1 e ½ colher (sopa) de sal fino
- ¼ de xícara (chá) de mix de ervas secas
- Ervas finas para decorar

MODO DE PREPARO
- Acenda o carvão na churrasqueira e deixe o braseiro ficar uniforme, por mais ou menos 40 minutos.
- Limpe bem a carne e corte em bifes grossos. Reserve.
- Misture o azeite, o sal e o mix de ervas. Espalhe a mistura por toda a carne.
- Leve os bifes para a grelha, a uma distância de 15 cm da brasa. Quando a carne começar a soltar líquido é hora de virar. Deixe por mais 10 minutos e estará pronto para servir.

PEIXINHO COM MOLHO INGLÊS

Rendimento: 6 porções
Tempo de preparo: 1h30

INGREDIENTES
- 1 peça de peixinho
- 3 colheres (sopa) de azeite de oliva
- 3 colheres (sopa) de molho inglês
- 1 colher (chá) de pimenta-do-reino em grãos
- Sal fino a gosto

MODO DE PREPARO
- Acenda o carvão na churrasqueira e deixe o braseiro ficar uniforme, por mais ou menos 40 minutos.
- Em um recipiente misture o azeite, o molho inglês e a pimenta triturada grosseiramente em um pilão.
- Mergulhe a carne na mistura de azeite e molho inglês. Deixe marinar por 5 minutos.
- Sele a carne colocando-a a 15 centímetros da grelha por 5 minutos, virando sempre.
- Suba para 40 centímetros do fogo e deixe por 20 minutos, vire e deixe mais 20 minutos.
- Retire da churrasqueira e deixe descansar por 3 minutos.
- Fatie no sentido contrário às fibras e sirva em seguida.

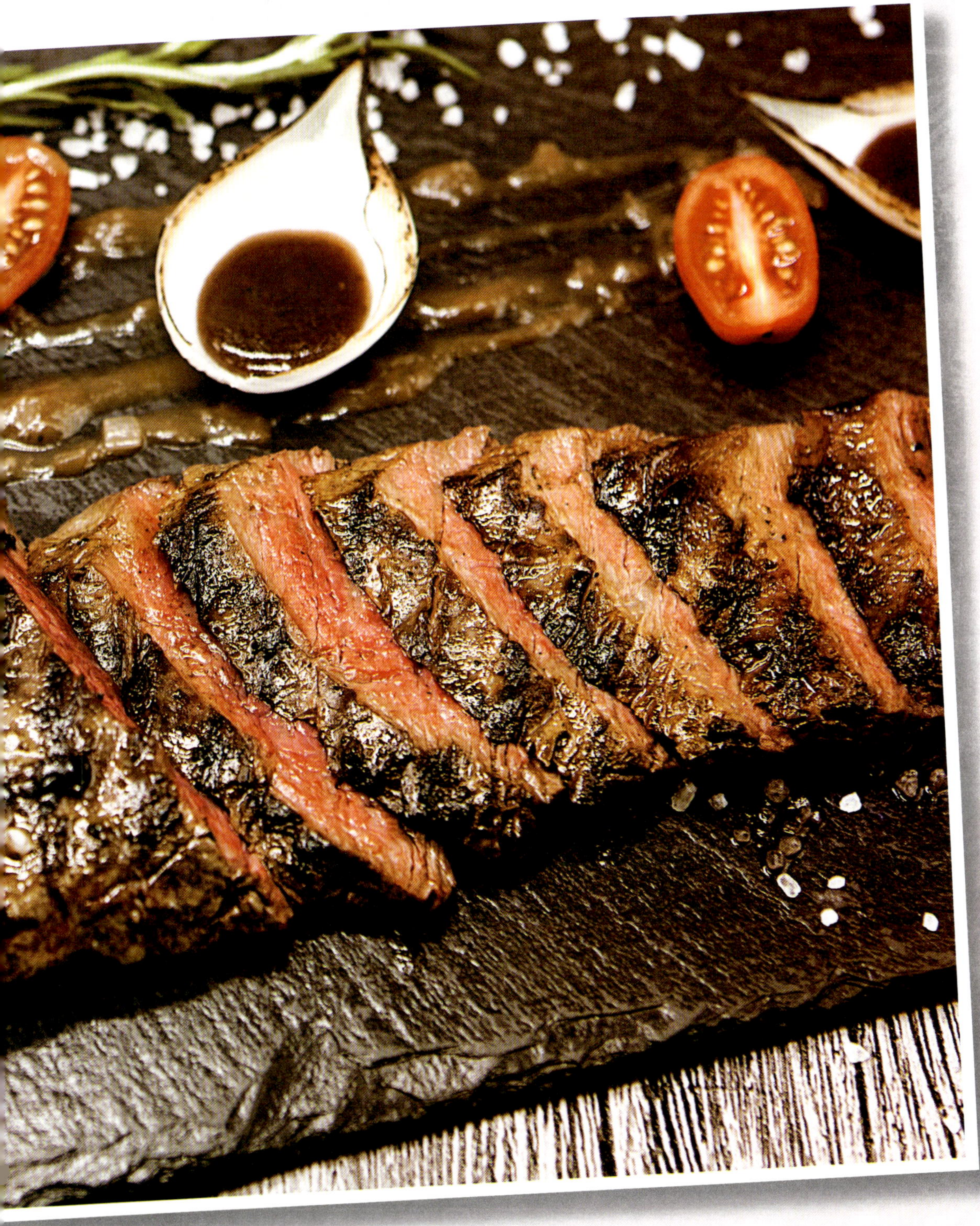

BIFE DE RAQUETE COM MANTEIGA DE ALECRIM

Rendimento: 5 porções
Tempo de preparo: 1h45

INGREDIENTES
- 5 bifes de raquete
- 100 g de manteiga sem sal
- 2 colheres (sopa) de alecrim
- Sal grosso em grãos médios a gosto

MODO DE PREPARO
- Acenda o carvão na churrasqueira e deixe o braseiro ficar uniforme, por mais ou menos 40 minutos.
- Misture a manteiga com o alecrim num processador de alimentos e reserve.
- Leve os bifes para a grelha, a uma distância de 15 cm da brasa. Quando a carne começar a soltar líquido é hora de virar. Deixe por mais 10 minutos.
- Retire da churrasqueira e deixe descansar por 3 minutos.
- Espalhe a mistura de manteiga por toda a carne e sirva em seguida.

COSTELA NA BRASA

Rendimento: 4 porções
Tempo de preparo: 4h

INGREDIENTES
- 1 kg de costela
- ½ maço de salsinha
- ½ maço de cebolinha
- 1 cebola ralada
- 3 dentes de alho picados
- 100 ml de vinagre de maçã
- Pimenta a gosto

MODO DE PREPARO
- Acenda o carvão na churrasqueira e deixe o braseiro ficar uniforme, por mais ou menos 40 minutos.
- Corte um pedaço de papel-alumínio e dobre 3 vezes.
- Bata a salsinha, a cebolinha, a cebola, o alho, o vinagre e a pimenta no liquidificador.
- Acomode a costela sobre o papel-alumínio e coloque o tempero batido.
- Feche o papel-alumínio fazendo um embrulho.
- Leve à churrasqueira a 60 cm da brasa e deixe assar por 1 hora, vire e deixe mais 2 horas.
- Retire da churrasqueira, retire o papel-alumínio e volte para a brasa a uma distância de 15 cm para dourar por mais 10 minutos.
- Tire do fogo, aguarde 5 minutos e sirva em seguida.

54 | Bíblia do Churrasco | **Costela & Cia.**

BRISKET (PEITO) COM MOLHO BARBECUE

Rendimento: 8 porções
Tempo de preparo: 4h

INGREDIENTES
- 1,8 kg de carne de peito bovino
- 2 colheres (sopa) de pimenta-do-reino moída
- 1 colher (sopa) de sal
- 1 colher (chá) de alho em pó
- 1 colher (chá) de açúcar
- 1 colher (chá) de mostarda em pó
- 1 folha de louro esmagada
- 1 e ½ xícara de caldo de carne
- 1 xícara (chá) de molho barbecue industrializado

MODO DE PREPARO
- Acenda o carvão na churrasqueira de bafo e deixe o braseiro ficar uniforme, por mais ou menos 40 minutos, em temperatura baixa.
- Antes de colocar a carne jogue algumas lascas de lenha para dar um gosto defumado.
- Misture bem a pimenta, o sal, o alho, o açúcar, a mostarda e a folha de louro e tempere a carne.
- Coloque a peça com a gordura virada para cima em uma assadeira, adicione o caldo de carne, leve à churrasqueira em temperatura moderada por 3 horas ou até que esteja soltando do garfo.
- Retire a carne da churrasqueira, pincele com o molho barbecue e coloque de volta por mais 15 minutos.
- Tire da brasa, corte em fatias e sirva.

BIFE DE RAQUETE COM MOLHO DE MOSTARDA

Rendimento: 8 porções
Tempo de preparo: 1h30

INGREDIENTES
- 4 bifes grandes de raquete
- Sal fino e pimenta-do-reino a gosto
- 2 colheres (sopa) de azeite de oliva
- 1 pires (chá) de picles picado
- 6 colheres (sopa) de molho de mostarda

MODO DE PREPARO
- Acenda o carvão na churrasqueira e deixe o braseiro ficar uniforme, por mais ou menos 40 minutos.
- Misture o azeite com o picles e o molho de mostarda. Reserve.
- Leve os bifes para a grelha, a uma distância de 15 cm da brasa. Tempere com sal e pimenta. Quando a carne começar a soltar líquido é hora de virar. Coloque mais um pouco de sal e pimenta e deixe por mais 3 minutos. Regue com o molho, fatie e sirva.

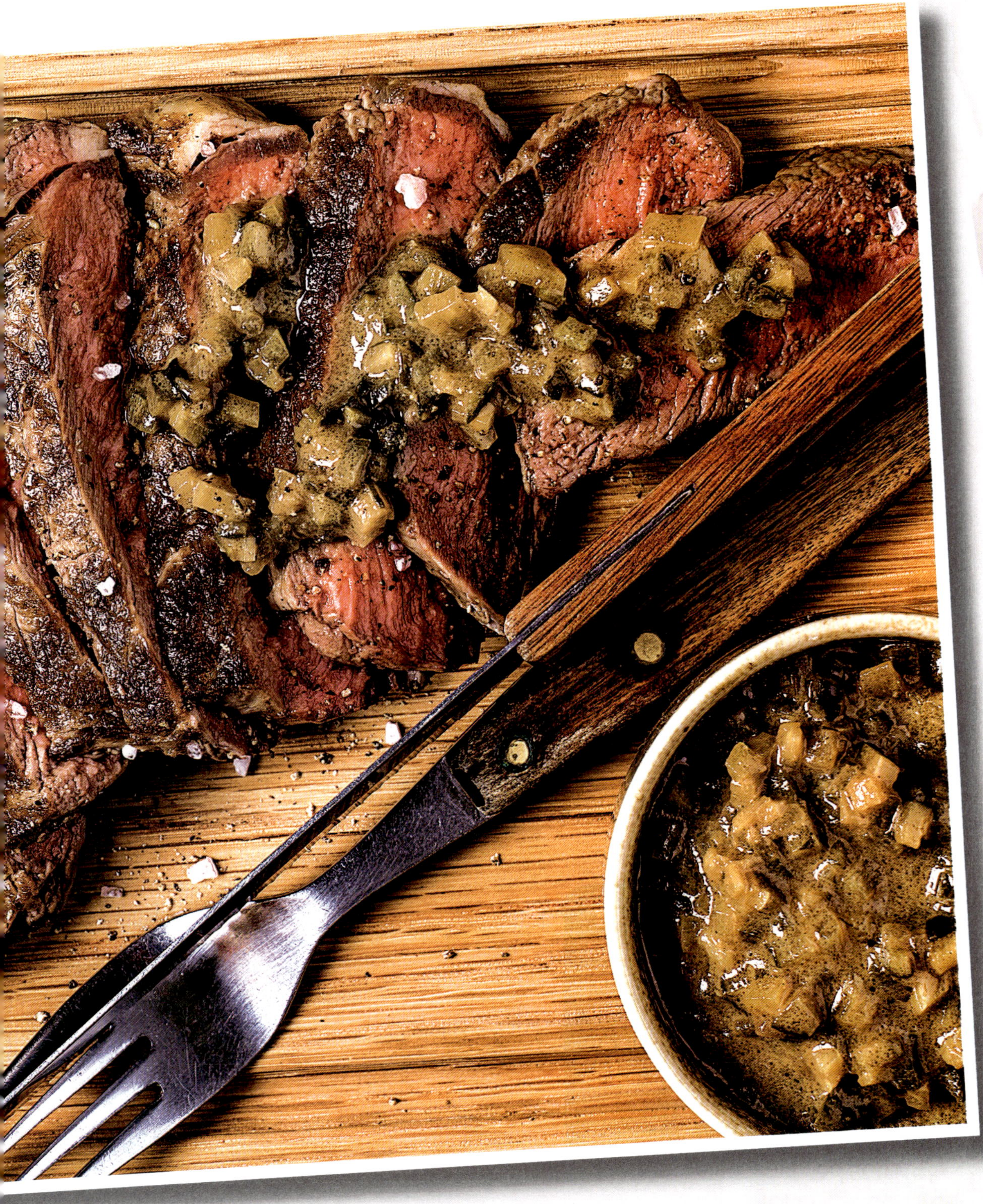

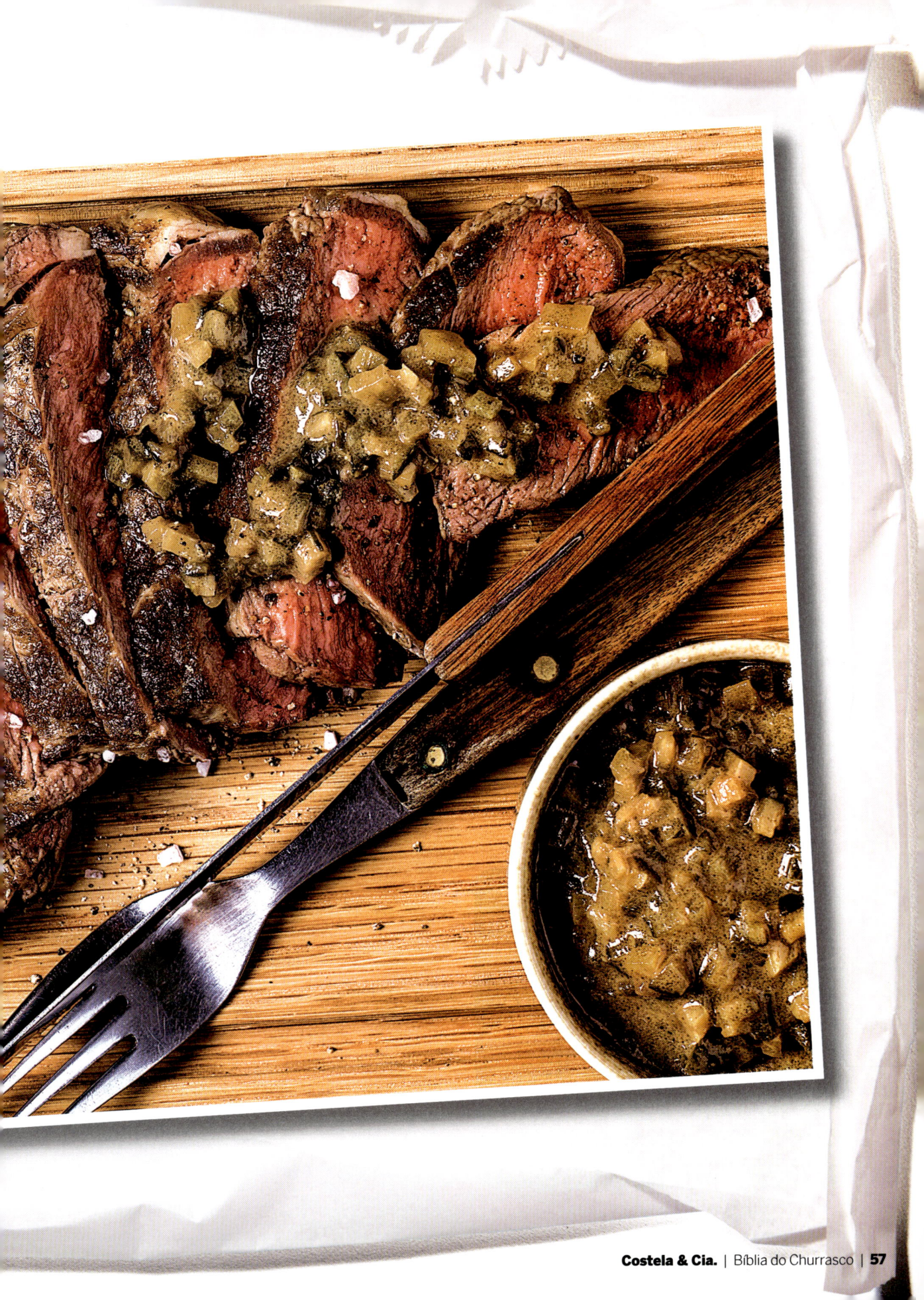

BIFE DE RAQUETE COM AZEITE DE ERVAS

Rendimento: 8 porções
Tempo de preparo: 1h45

INGREDIENTES
- 4 bifes grandes de raquete
- ⅓ de xícara (chá) de azeite de oliva
- 1 e ½ colher (sopa) de sal fino
- ¼ de xícara (chá) de mix de ervas secas

MODO DE PREPARO
- Acenda o carvão na churrasqueira e deixe o braseiro ficar uniforme, por mais ou menos 40 minutos.
- Limpe bem a carne e reserve.
- Misture o azeite, o sal e o mix de ervas. Espalhe a mistura por toda a carne.
- Leve os bifes para a grelha, a uma distância de 15 cm da brasa. Quando a carne começar a soltar líquido é hora de virar. Deixe por mais 10 minutos e estará pronto para servir.

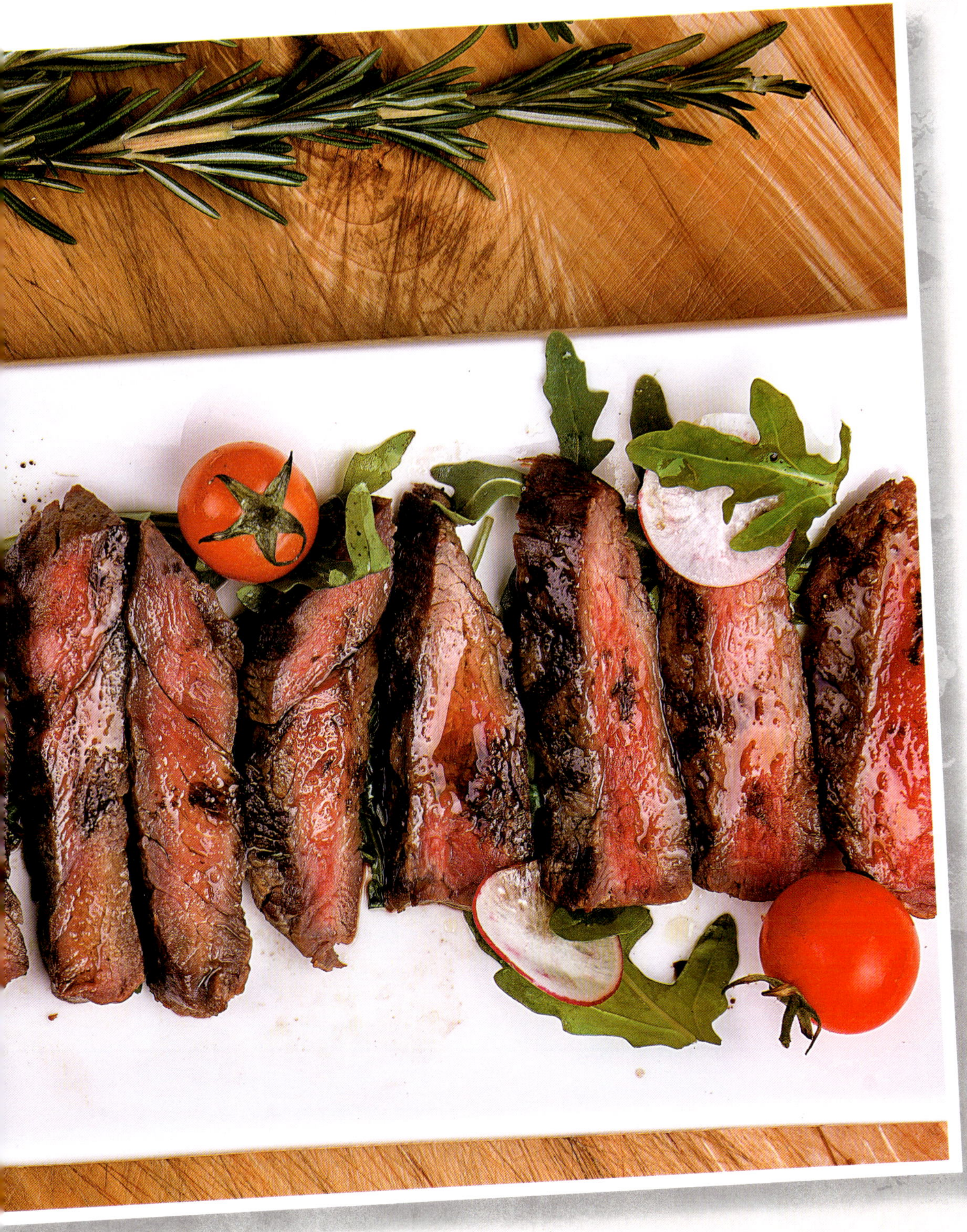

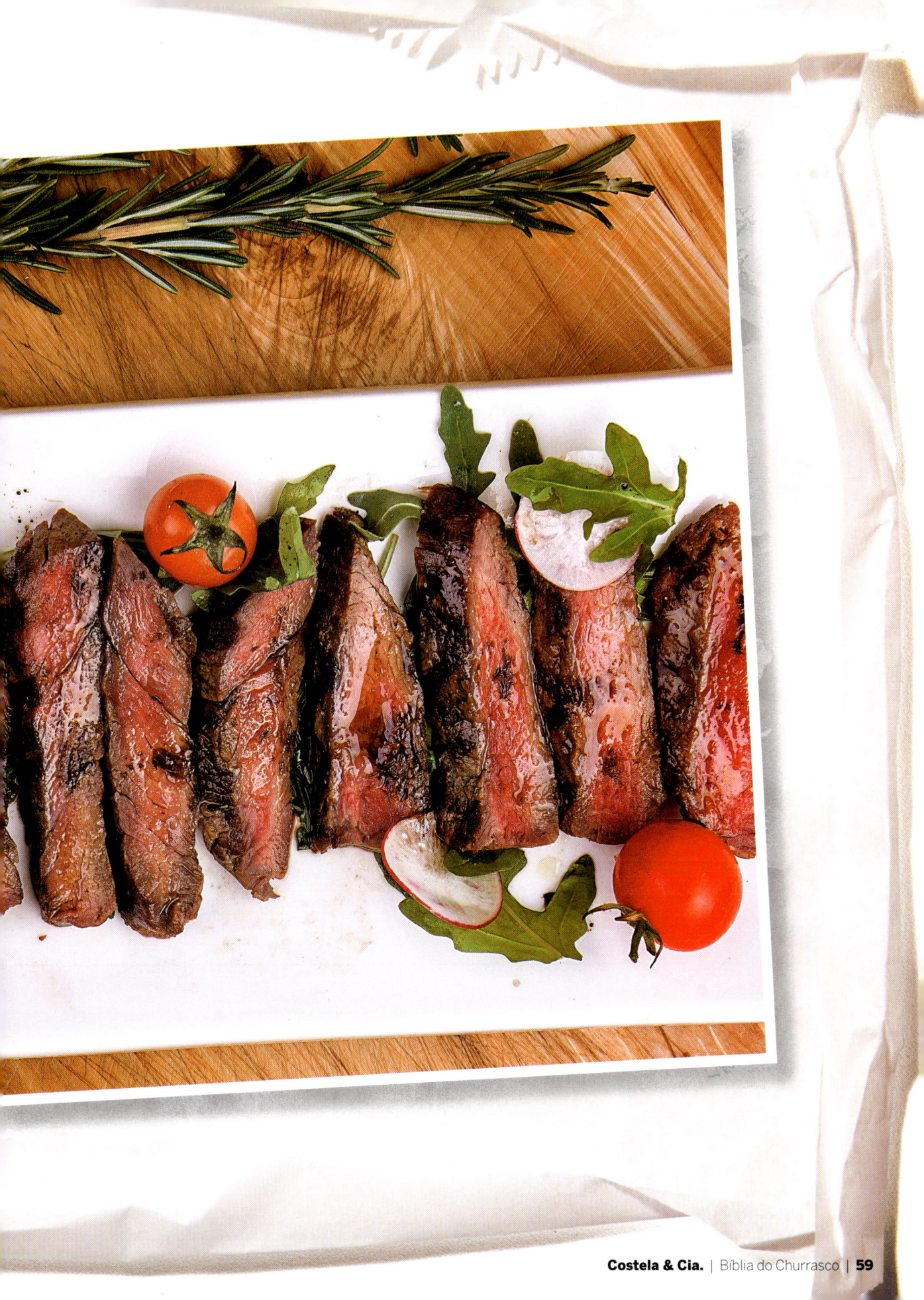

SANDUÍCHE DE BRISKET (PEITO) DEFUMADO

Rendimento: 12 porções
Tempo de preparo: 4h

INGREDIENTES
- 1 peça de peito bovino
- 2 colheres (sopa) de pimenta-do-reino moída
- 2 colheres (sopa) de sal
- 1 colher (sopa) de alho em pó
- 1 colher (sopa) de açúcar
- 2 colheres (chá) de mostarda em pó
- 1 folha de louro esmagada
- 1 e ½ xícara de caldo de carne
- Molho barbecue industrializado a gosto
- 12 pães de hambúrger

MODO DE PREPARO
- Acenda o carvão na churrasqueira de bafo e deixe o braseiro ficar uniforme, por mais ou menos 40 minutos, em temperatura baixa.
- Antes de colocar a carne jogue algumas lascas de lenha para dar um gosto defumado.
- Misture bem a pimenta, o sal, o alho, o açúcar, a mostarda e a folha de louro e tempere a carne.
- Coloque a peça com a gordura virada para cima em uma assadeira, adicione o caldo de carne, leve à churrasqueira em temperatura moderada por 3 horas ou até que esteja soltando do garfo.
- Retire a carne da churrasqueira, descarte o excesso de gordura e regue com o caldo da assadeira.
- Sele os pães em uma chapa ou frigideira, coloque o peito bovino fatiado, o molho barbecue e sirva em seguida.

BIFE DE CORAÇÃO DE PALETA COM ERVAS FINAS

Rendimento: 8 porções
Tempo de preparo: 1h30

INGREDIENTES
- 8 bifes grossos de coração de paleta
- ½ xícara (chá) de sal grosso
- 3 colheres (sopa) de alecrim desidratado
- 3 colheres (sopa) de orégano desidratado
- 3 colheres (sopa) de manjericão desidratado

MODO DE PREPARO
- Acenda o carvão na churrasqueira e deixe o braseiro ficar uniforme, por mais ou menos 40 minutos.
- Bata no liquidificador o sal grosso, o alecrim, o orégano e o manjericão.
- Limpe bem a peça e espalhe o sal de ervas finas.
- Coloque a carne na grelha a uma distância de 15 centímetros da brasa.
- Vire quando começar a soltar líquidos e deixe mais 4 minutos.
- Retire a carne do fogo e sirva em seguida.

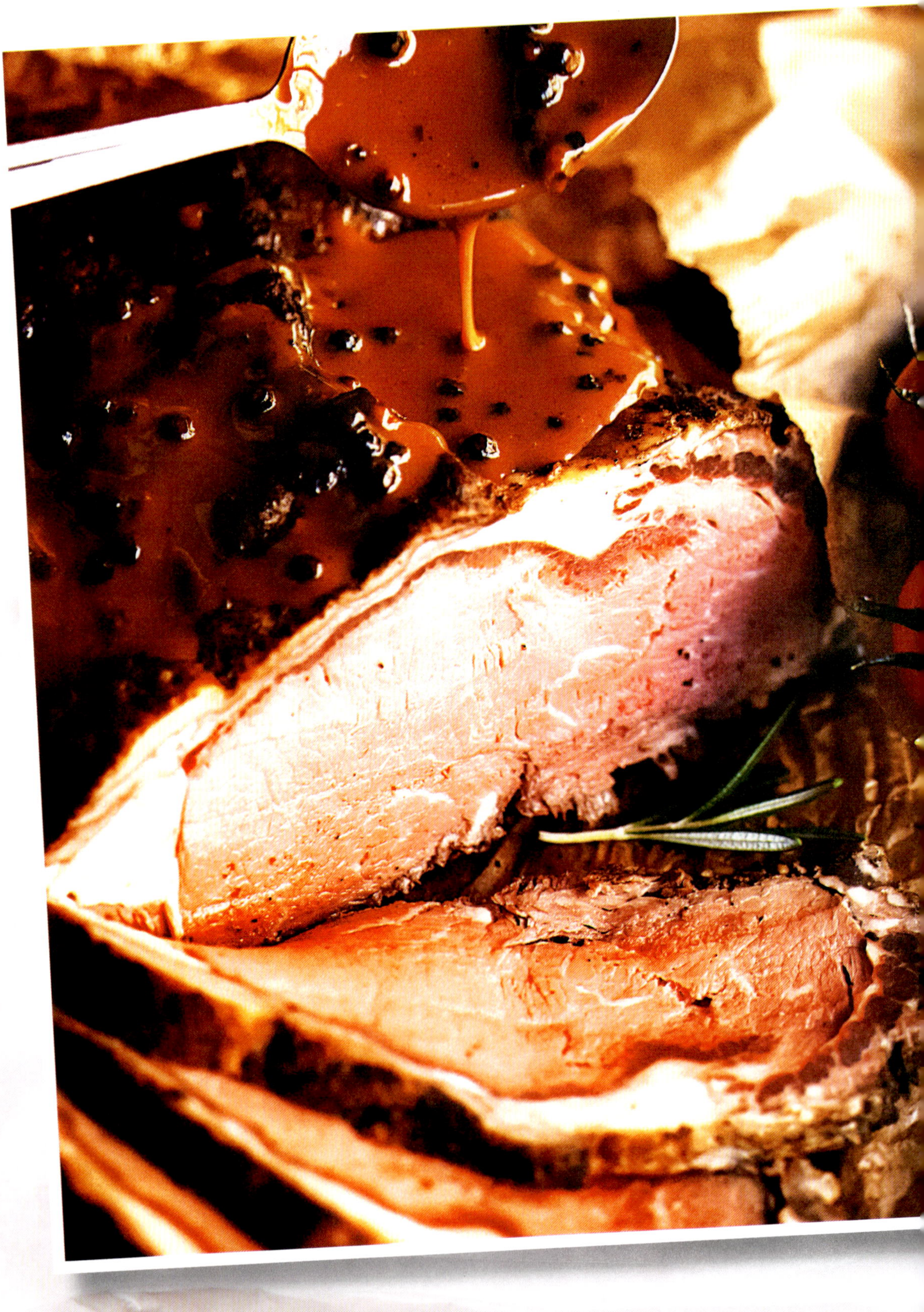

RAQUETE COM MOLHO DE VINHO

Rendimento: 5 porções
Tempo de preparo: 1h40

INGREDIENTES
- 1 peça de raquete
- 1 cebola ralada
- 1/2 xícara (chá) de manteiga sem sal
- 3 colheres (sopa) de farinha de trigo
- Sal e pimenta-do-reino moída a gosto
- ½ garrafa de vinho tinto seco
- 1 xícara (chá) de caldo de carne
- Pimenta-do-reino em grãos

MODO DE PREPARO
- Acenda o carvão na churrasqueira e deixe o braseiro ficar uniforme, por mais ou menos 40 minutos.
- Derreta a manteiga em fogo médio e frite a cebola.
- Acrescente a farinha, mexendo sempre até dissolver bem. Junte o vinho e o caldo de carne. Deixe cozinhar por 30 minutos. Reserve em local aquecido.
- Tempere bem a carne com com sal e pimenta-do-reino e leve para a grelha, a uma distância de 15 cm da brasa por 5 minutos, virando sempre até selar.
- Suba a carne para 40 centímetros da brasa e asse por 40 minutos, virando sempre.
- Retire da churrasqueira e deixe descansar por 3 minutos.
- Fatie a peça, regue com o molho e salpique pimenta em grãos. Sirva em seguida.

BIFE DE RAQUETE COM PIMENTA RÚSTICA

Rendimento: 5 porções • Tempo de preparo: 1h45

INGREDIENTES
- 5 bifes grossos de raquete
- 1 colher (chá) de pimenta-do-reino em grãos
- 1 colher (chá) de pimenta-do-reino branca em grãos
- 1 colher (chá) de pimenta rosa em grãos
- 2 colheres (sopa) de sal grosso em grãos médios
- Ramos de alecrim

MODO DE PREPARO
- Acenda o carvão na churrasqueira e deixe o braseiro ficar uniforme, por mais ou menos 40 minutos.
- Triture grosseiramente as pimentas com o sal em um pilão e tempere a carne com a mistura.
- Leve os bifes para a grelha, a uma distância de 15 cm da brasa. Quando a carne começar a soltar líquido é hora de virar. Deixe por mais 10 minutos e estará pronta.
- Salpique alecrim e sirva em seguida.

BIFE DE CORAÇÃO DE PALETA AO SHOYU

Rendimento: 8 porções
Tempo de preparo: 1h30

INGREDIENTES
- 1 peça de coração de paleta
- 500 ml de molho shoyu
- 1 colher (chá) de sal grosso triturado em grãos médios
- Pimenta-do-reino em grãos

MODO DE PREPARO
- Acenda o carvão na churrasqueira e deixe o braseiro ficar uniforme, por mais ou menos 40 minutos.
- Enquanto isso, coloque a carne para marinar por 5 minutos numa mistura de molho shoyu com o sal.
- Coloque a carne na grelha a uma distância de 15 centímetros da brasa.
- Vire quando começar a soltar líquidos e deixe mais 4 minutos.
- Retire a carne do fogo e sirva em seguida.

ESPETINHOS DE RAQUETE COM LEGUMES

Rendimento: 12 porções
Tempo de preparo: 1h

INGREDIENTES
• 1 kg de raquete cortada em cubos
• 1 abobrinha cortada em cubos
• 1 pimentão vermelho cortado em cubos
• 1 pimentão verde cortado em cubos
• 1 cebola cortada em cubos
• 1 colher (sopa) de manteiga
• Sal fino e pimenta-do-reino a gosto

MODO DE PREPARO
• Acenda o carvão na churrasqueira e deixe o braseiro ficar uniforme, por mais ou menos 40 minutos.
• Faça espetinhos alternando os cubos de carne, pimentão e cebola.
• Pincele com a manteiga e tempere com sal e pimenta.
• Coloque na grelha a 40 cm da brasa por 20 minutos. Vire sempre, para assar por igual. Sirva assim que ficarem dourados.

BIFE DE CORAÇÃO DE PALETA COM MANTEIGA DE ALECRIM E PIMENTA

Rendimento: 8 porções
Tempo de preparo: 1h

INGREDIENTES
• 8 bifes grossos de coração de paleta
• 100 g de manteiga sem sal
• 2 colheres (sopa) de alecrim
• 1 colher (sopa) de pimenta-do-reino
• Sal fino a gosto

MODO DE PREPARO
• Acenda o carvão na churrasqueira e deixe o braseiro ficar uniforme, por mais ou menos 40 minutos.
• Misture a manteiga com o alecrim num processador de alimentos e reserve.
• Leve os bifes para a grelha, a uma distância de 15 cm da brasa.
• Tempere com o sal. Quando a carne começar a soltar líquido é hora de virar.
• Tempere com mais sal e deixe por 10 minutos e estará pronto para servir.
• Retire da churrasqueira e deixe descansar por 3 minutos.
• Espalhe a mistura de manteiga, polvilhe com a pimenta e sirva em seguida.

MANUAL DO BOM CHURRASQUEIRO

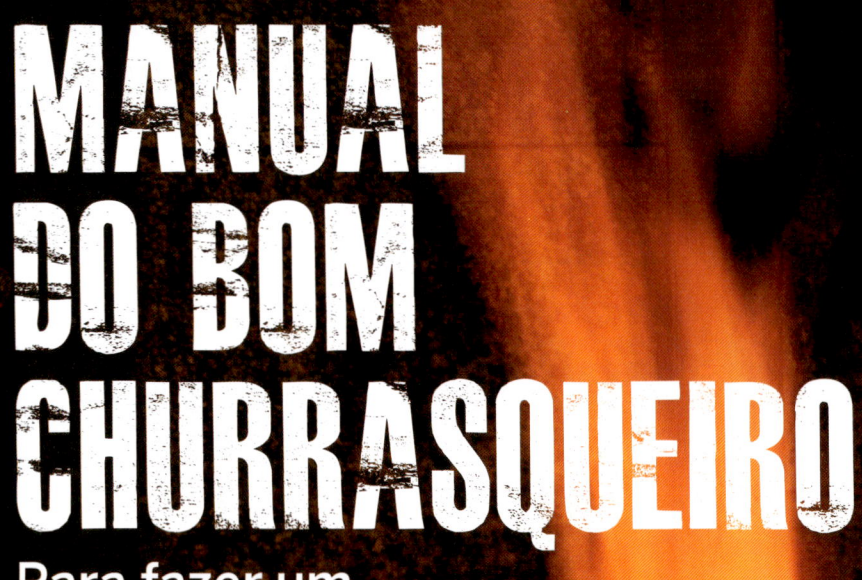

Para fazer um churrasco de sucesso é preciso saber escolher e manipular as peças, controlar o braseiro e acertar o ponto da carne. Veja a seguir uma seleção de dicas e truques para um grelhado perfeito

Mantenha a carne perfeita e livre de contaminação

Uma das coisas fundamentais quando se trabalha com alimentos é a higiene, principalmente quando o produto em questão é a carne, que, por ser manipulada *in natura*, está sujeita a proliferação de micro-organismos e bactérias. Também muito importante é o método de descongelamento e armazenamento durante o churrasco. Antes de começar a trabalhar as carnes, lave bem todos os utensílios que for usar, como facas, tábuas, espetos, grelhas e travessas. Mantenha as mãos sempre limpas, lavando com sabão cada vez que for mexer nos alimentos. Depois de ter todas as ferramentas limpas, providencie um local para armazenar as carnes durante o churrasco. Elas devem permanecer em uma temperatura entre 0° e 5° C. Pode ser numa geladeira ou isopor com gelo, o mais importante é estar bem perto da churrasqueira. A carne deve sair da refrigeração, ser salgada e posta na grelha sem ficar muito tempo exposta à temperatura ambiente, o que prejudica sua qualidade. Se optar pelo isopor, tome cuidado para o gelo e a água não entrarem em contato com a carne, mantendo a embalagem bem fechada e as pedras de gelo em sacos plásticos herméticos.

Calcule a quantidade certa

550 gramas é a quantidade aproximada que um homem consome num churrasco. Para as mulheres a conta fica em 400 gramas e, 250 gramas para as crianças. Essa equação não é exata, porque depende da quantidade de acompanhamentos e entradas. Peças com osso, como os cortes de frango e costela, devem pesar o dobro, para compensar a perda.

6 regras de ouro para preparar a carne

1. Descongele a carne sempre de um dia para o outro, dentro da geladeira. Mínimo de 12 horas.

2. Trabalhe com, no mínimo, duas tábuas e duas facas. Use uma das tábuas e uma das facas para manipular a carne crua e a outra para manipular a carne assada ou grelhada.

3. Nunca inverta as tábuas ou as facas, esse procedimento evita a contaminação cruzada.

4. Tenha uma lixeira próxima da churrasqueira e dê preferência para os modelos com pedal para evitar a contaminação da mão em contato com a tampa.

5. Use sempre um avental e tenha à mão panos de prato para manter as superfícies limpas.

6. Mantenha os cabelos curtos ou presos, as unhas cortadas e barbas aparadas ou protegidas durante o preparo.

Quais são e como funcionam os principais tipos de churrasqueiras e grelhas

CHURRASQUEIRAS

PRÉ-FABRICADA DE ALVENARIA COM CHAMINÉ: tem revestimento térmico apenas na fornalha (base e lados onde é depositado o carvão) e tem altura padrão de 2,20 metros. Dispensa mão de obra especializada para a instalação.

DE ALVENARIA COM CHAMINÉ: mais durável que o modelo pré-fabricado, por ser todo feito em material refratário, oferece melhor rendimento térmico. É feita sob medida por profissional especializado.

ABERTA: de alvenaria, também é conhecida como grelha. Basicamente é uma caixa na qual se coloca o carvão e suporte para grelha e espetos. Pode ter dois ou três andares. Ideal para espaços abertos, pois não tem chaminé para dispersar a fumaça.

PORTÁTEIS: podem ser retangulares, quadradas ou redondas, abertas ou com tampas para bafo. As mais sofisticadas têm controle de temperatura. Podem ser feitas de aço inox, ferro e ferro fundido.

BAFO: esse tipo de churrasqueira tem uma tampa, que funciona como forno, assando a carne por igual. É perfeita para carnes que precisam ser amaciadas como a costela.

GRELHAS

Seu uso facilita a vida do churrasqueiro. Com ela é possível acomodar vários tipos de corte e, com o controle de altura, grelhar e assar. Para grelhar cortes como bombom, entrecôte e filé-mignon e ter uma carne bem selada e suculenta, posicione a grelha a 15 cm de altura do braseiro. Para assar peças maiores, como a picanha inteira, deixe a 40 cm, e para peças grandes, como a costela, deixe a 60 cm da brasa.

GRELHA ARGENTINA Este é o modelo mais indicado pelos churrasqueiros profissionais, também conhecidas como canaletadas ou grelha parrilla. Suas canaletas de metal em formato de "V" possuem inclinação, o que faz que o sangue, a gordura e o tempero deslizem e se acumulem nas pingadeiras. Isso evita o gotejamento sobre o braseiro e a formação de labaredas, que não são ideais para o preparo do churrasco.

BARRAS Fáceis de higienizar durante e depois do preparo, proporcionam um contato maior entre os cortes e o braseiro, graças à distância entre as barras. Para evitar que a liberação de gordura e sulcos da carne formem labaredas, jogue as cinzas do churrasco anterior sobre a brasa.

MOEDAS Sua limpeza é mais difícil e é necessário o uso de escova durante o churrasco, para evitar que os sabores de carnes diferentes se misturem. Tendem a formar ondulações, pois são confeccionadas com uma única tela. É muito boa para preparar hambúrgueres.

AUXILIARES Existem diversos modelos, são móveis, de abrir e fechar e permitem que o corte seja virado de uma vez. Perfeitas para o preparo de peixes e legumes, também podem ser usadas para pequenas peças de carne.

GRELHA X ESPETO QUEM LEVA A MELHOR

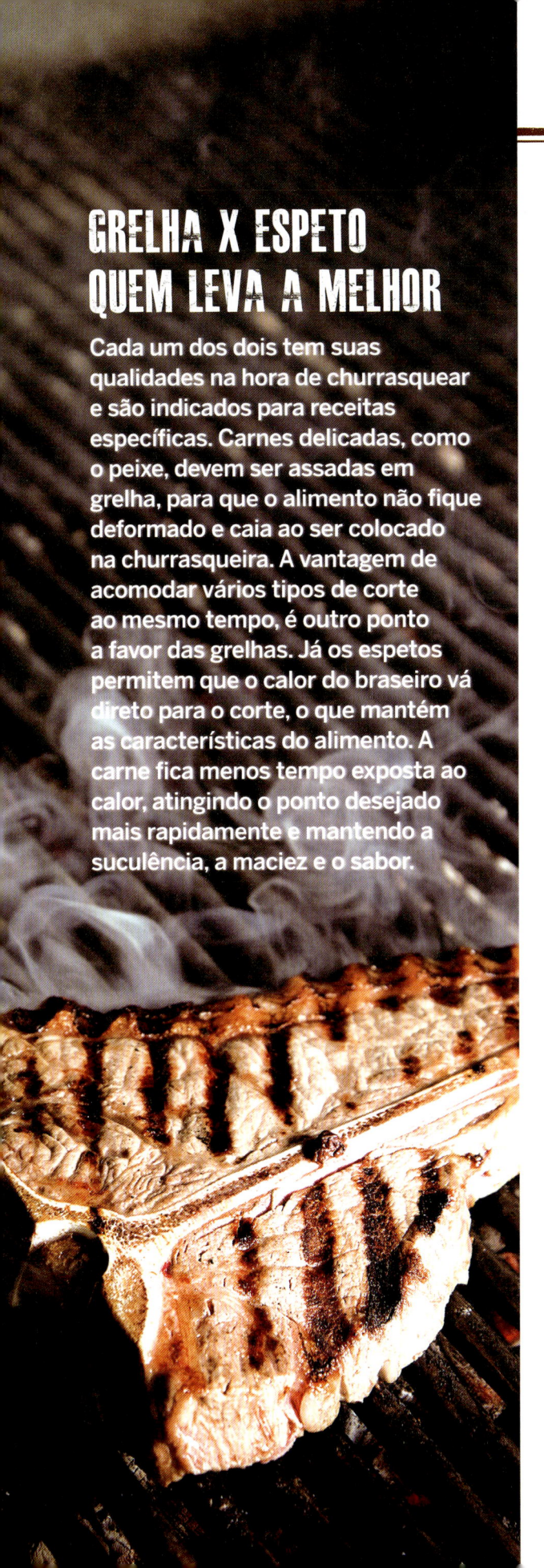

Cada um dos dois tem suas qualidades na hora de churrasquear e são indicados para receitas específicas. Carnes delicadas, como o peixe, devem ser assadas em grelha, para que o alimento não fique deformado e caia ao ser colocado na churrasqueira. A vantagem de acomodar vários tipos de corte ao mesmo tempo, é outro ponto a favor das grelhas. Já os espetos permitem que o calor do braseiro vá direto para o corte, o que mantém as características do alimento. A carne fica menos tempo exposta ao calor, atingindo o ponto desejado mais rapidamente e mantendo a suculência, a maciez e o sabor.

Colocando as armas na mesa

As facas são responsáveis pela precisão e melhor aproveitamento dos cortes, e é fundamental que estejam bem afiadas. Se tiverem perdido o fio, será necessária uma afiação com pedra própria para amolar. A melhor técnica é umedecer a pedra por cinco minutos para ela ganhar abrasividade, depois deslizar ¾ da lâmina sobre a superfície da pedra, com muita atenção para que o dorso da faca vá ao encontro da pedra, e não o fio da lâmina. Esse movimento deve ser em diagonal e com uma leve inclinação. O mesmo movimento deve ser repetido várias vezes, até ficar bem amolada. É importante deslizar os dois lados da faca o mesmo número de vezes.

ARSENAL BÁSICO

1. PARA DESOSSAR
Escolha uma faca com lâmina de 6 polegadas e curvatura.

2. PARA LIMPAR
A ponta arredondada facilita a retirada de pele e gordura.

3. PARA CORTAR E SERVIR
Faca de 8 polegadas.

4. CHAIRA
Instrumento responsável pela manutenção do fio. Escolha uma que tenha tamanho proporcional ao das facas que for usar.

APRENDA A AFIAR

Use a chaira nas facas que estão com o fio em ordem e que precisam apenas de manutenção durante o churrasco. Veja a seguir, passo a passo, a melhor técnica de afiação.

1. Use sempre uma chaira de tamanho proporcional ao da faca e com o mesmo comprimento de lâmina.

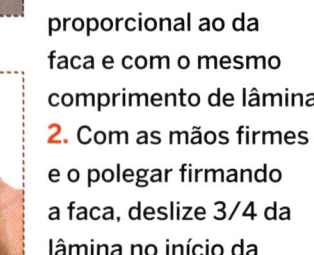

2. Com as mãos firmes e o polegar firmando a faca, deslize 3/4 da lâmina no início da chaira, de cima para baixo, ou ao contrário.

3. A lâmina da faca deve formar um ângulo de 30° em relação à chaira em movimento único. Repita o processo nos dois lados, de preferência com a mesma inclinação e velocidade, para que o fio fique uniforme.

DICA DE CHURRASQUEIRO

Conserve as facas limpas e secas, de preferência em um cepo ou bainha, para não danificá-las pelo contato com outros objetos.

A quantidade de carvão e o uso da técnica correta são determinantes para o sucesso do churrasco

O fogo deve ser aceso 40 minutos antes de começar o evento. Esse tempo é necessário para que o braseiro fique uniforme. Escolha um carvão de eucalipto – ele tem boa resistência, durabilidade, queima uniformemente, retém mais calor e é ecológico – ou briquetes, feitos de pó de carvão e amido (nesta opção, o fogo é lento, ideal para assados que levam mais tempo na churrasqueira, como costela ou cupim). Acomode uma pequena quantidade de carvão e use álcool gel ou álcool em pasta para acender o fogo – um pãozinho amanhecido embebido em álcool também é uma boa opção. O grande segredo é evitar colocar muito carvão, o excesso faz que o braseiro não consiga manter a temperatura constante, diminuindo em determinado momento e levantando labaredas em outro. O fogo deve sempre ser alimentado aos poucos, colocando

Conheça os tipos de sal

SAL GROSSO TRITURADO EM GRÃOS FINOS
É usado para cortes com mais de 4 cm de altura. Também tempera a peça de carne que foi fatiada e volta a assar

SAL GROSSO EM GRÃOS MÉDIOS
Tem o menor poder de salgar e é usado para temperar peças maiores, com mais de 1 kg, como a picanha inteira e a costela

SAL FINO
Para cortes como o filé-mignon, com até 3 cm de altura, que geralmente vão para a grelha. Deve ser usado com cuidado, pois é o que tem o maior poder de salgar

algumas pedras novas ao lado do braseiro e, conforme a necessidade, ir alimentando com mais e misturando lentamente. Para garantir melhor sabor à carne, espere que o braseiro fique em sua maioria incandescente, com uma fina camada branca por cima. Nunca use água para controlar as labaredas, esse método apenas faz fumaça e libera fuligem. Jogue as cinzas guardadas do churrasco anterior sobre a brasa, isso evitará que o fogo avance e manterá a temperatura da churrasqueira elevada. Também funciona para inibir a fumaça gerada pela gordura que escorre da carne.

> **PALAVRA DE EXPERT**
>
> "Um truque certeiro para controlar a temperatura do braseiro é colocar a mão a 15 cm da brasa e contar de um a cinco. Se suportou o calor até 'cinco', significa que o calor está perfeito para grelhar. Se chegou ao 'quatro' a carne irá queimar, e ao 'seis', cozinhar."
>
> **Valdecir Larentis,**
> Chefe de carnes do Vento Haragano Morumbi, SP

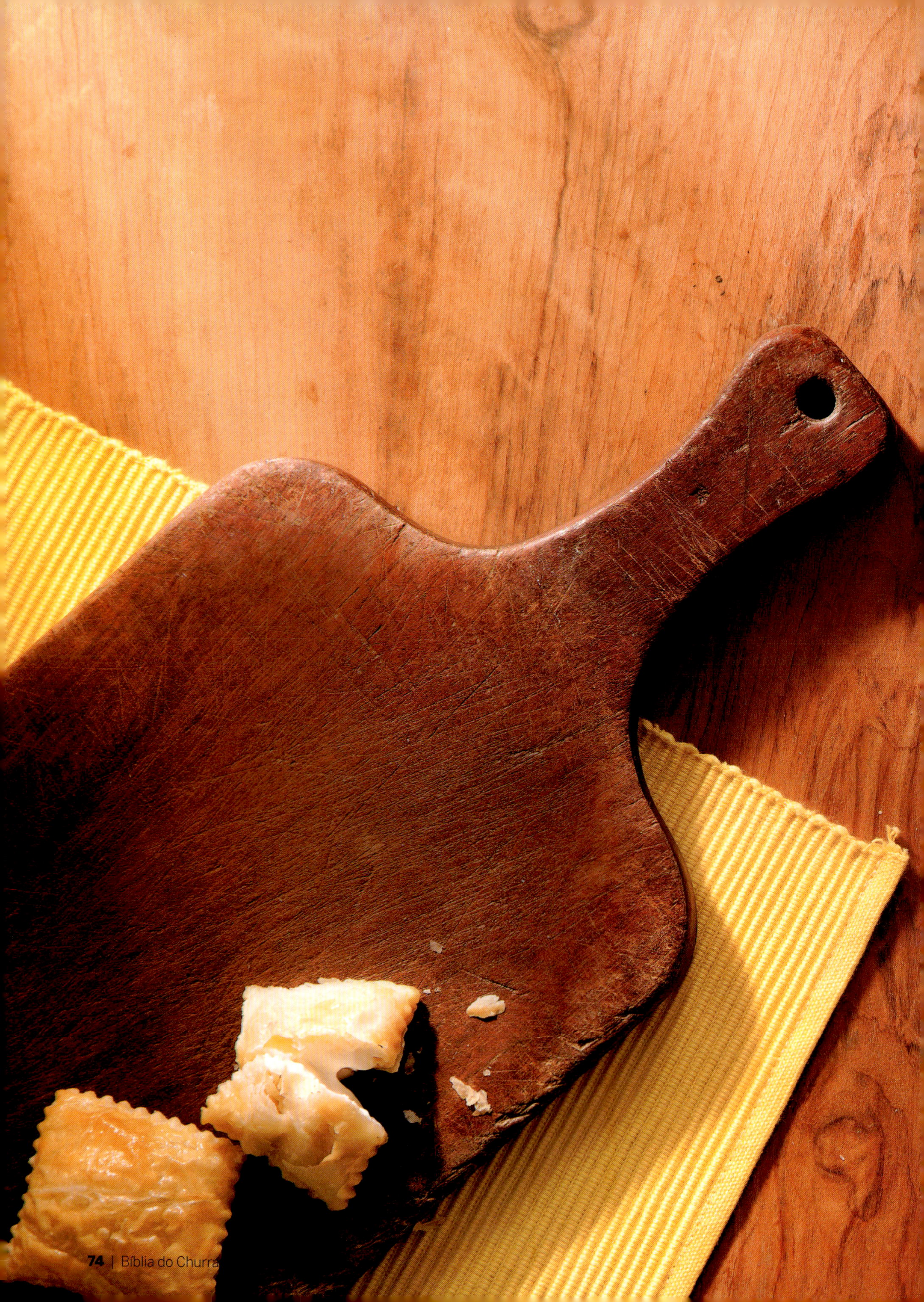

CHURRASCO BEM ACOMPANHADO

Pastelzinho, croquete, salada, quiche, suflê... A seguir, uma seleção de entradas, acompanhamentos e molhos para deixar ainda mais saboroso o seu corte preferido

BOLINHO DE ABÓBORA COM CARNE-SECA E MOZARELA

Rendimento: 8 porções
Tempo de preparo: 1h30

INGREDIENTES
- 2 xícaras (chá) de carne-seca dessalgada, cozida e desfiada
- 2 xícaras (chá) de abóbora cozida e amassada
- 2 e ½ xícaras (chá) de mozarela
- 3 col. (sopa) de azeite de oliva
- 1 cebola picada
- ½ col. (sopa) de alho picado
- ½ xícara (chá) de molho de tomate
- 3 col. (sopa) de salsinha picada
- Sal, pimenta-do-reino e noz-moscada a gosto
- 1 col. (sopa) de manteiga
- 1 tablete de caldo de legumes
- 1 xíc. (chá) de água quente
- 1 xíc. (chá) de leite
- 2 e ½ xíc. (chá) de farinha de trigo
- 1 xíc. (chá) de farinha de rosca
- 3 ovos
- Óleo para fritar

MODO DE PREPARO
- Em uma panela, em fogo médio, aqueça 1 colher (sopa) do azeite, refogue a cebola, a carne-seca e o alho por cerca de 5 minutos.
- Misture o molho de tomate, a salsinha, o sal, a pimenta e a noz-moscada. Reserve.
- No liquidificador, bata bem a abóbora, a manteiga, o caldo de legumes e a água quente até que fique homogêneo.
- Em uma panela, adicione o leite e cozinhe em fogo médio até que levante fervura.
- Coloque a farinha de trigo de uma só vez e continue mexendo sempre, até que desgrude do fundo da panela.
- Adicione o azeite restante e misture bem.
- Coloque em uma superfície lisa e deixe esfriar.
- Abra porções da massa com a mão, distribua a carne, a mozarela e feche, modelando os bolinhos.
- Passe pela farinha de rosca, pelos ovos batidos e pela farinha novamente.
- Em uma panela, frite os bolinhos em óleo quente por imersão até que dourem. Sirva quente.

BOLINHO FRITO DE ARROZ

Rendimento: 6 unidades
Tempo de preparo: 1h

INGREDIENTES
- 300 g de arroz cozido
- 1 xíc. (chá) de caldo de galinha
- 1 ovo
- ½ cebola
- Salsa e cebolinha picadas a gosto
- Farinha de trigo o suficiente
- Óleo para fritura

MODO DE PREPARO
- Coloque o arroz já cozido em uma panela com o caldo de galinha e um pouco de água e cozinhe por alguns instantes. Assim que essa mistura ficar pastosa, retire do fogo e deixe esfriar.
- Acrescente o ovo, a cebola picada em pedaços bem pequenos, a salsinha e a cebolinha.
- Para preparar a massa do bolinho, misture farinha de trigo o suficiente para dar liga.
- Modele os bolinhos no formato que preferir e frite em óleo bem quente.
- Deixe-os escorrer em papel toalha e sirva quente.

PASTELZINHO DE QUEIJO

Rendimento: 20 porções
Tempo de preparo: 40 min.

INGREDIENTES
- ½ kg de farinha de trigo
- 2 ovos
- 2 colheres (sopa) de gordura vegetal
- 2 colheres (sopa) de cachaça
- 1 colher (café) de sal
- 1 xícara (chá) de água fria
- 300 g de queijo mozarela cortado em cubinhos

MODO DE PREPARO
- Coloque a farinha de trigo peneirada numa vasilha e faça uma depressão no meio. Acrescente os ovos, a gordura e a cachaça e vá amassando.
- Dissolva o sal na água fria. Adicione a salmoura à massa aos poucos.
- Amasse com as mãos até obter uma massa lisa e uniforme. Sove bem, rasgando a massa com as mãos.
- Junte os pedaços, amasse, bata sobre a mesa até obter uma massa bem macia que despregue das mãos.
- Faça uma bola, cubra a massa com um pano e deixe descansar por, pelo menos, uma hora.
- Abra a massa com um rolo sobre uma superfície enfarinhada.
- Coloque os cubinhos de queijo, corte a massa em quadradinhos e aperte bem as beiradas para fechar.
- Coloque em uma assadeira e pincele com água. Asse em forno médio (180°C) até dourar dos dois lados.

CROQUETE DE FEIJOADA

Rendimento: 20 porções
Tempo de preparo: 1h

INGREDIENTES
- 1 kg de feijão-preto
- 4 maços de couve
- 200 g de polvilho azedo
- 600 g de farinha de mandioca
- 300 g de farinha de trigo
- 300 g de farinha de rosca
- 1 ovo
- 300 g de bacon
- 2 cebolas
- 2 cabeças de alho esmagadas
- 50 ml de azeite de oliva
- Salsinha a gosto

MODO DE PREPARO
- Cozinhe o feijão-preto e bata no liquidificador.
- Em uma frigideira, aqueça o azeite, refogue a cebola e o alho. Junte o feijão batido.
- Dê o ponto com a farinha de mandioca (atenção: a massa não pode estar grudando nas mãos). Ao final, adicione o polvilho azedo e a salsinha. Reserve a massa.
- Em outra frigideira, frite o bacon em pedaços e depois adicione a couve até ela ficar mole.
- Modele a massa na forma de croquetes, recheie com a couve e o bacon e congele.
- No dia seguinte, empane os salgadinhos com farinha de trigo, ovo, farinha de rosca e frite em óleo bem quente. Sirva em seguida.

CUMBUQUINHA PRIMAVERA

Rendimento: 4 porções
Tempo de preparo: 20 min.

INGREDIENTES
- 2 xíc. (chá) de mandioquinha em cubos e cozida em água e sal
- ½ xíc. (chá) de vagem cortada
- ½ xíc. (chá) de cenoura ralada
- 2 col. (sopa) de milho-verde
- 1 col. (sopa) de azeite de oliva
- 1 dente de alho amassado
- 1 col. (chá) de orégano
- Sal a gosto
- 3 col. (sopa) de requeijão

MODO DE PREPARO
- Em uma panela, aqueça o azeite de oliva e refogue o dente de alho amassado.
- Depois, acrescente a cenoura picada, a vagem cortada, o milho-verde e a mandioquinha em cubos e deixe os legumes cozinharem por alguns minutos.
- Adicione o orégano à mistura, tempere com sal a gosto e então acrescente o requeijão.
- Mexa bem até que o requeijão amoleça e incorpore nos legumes cozidos, deixando o prato cremoso.
- Distribua a receita em quatro cumbuquinhas e sirva a seguir, ainda quente.

FUNDOS DE ALCACHOFRA COM CREME DE QUEIJO

Rendimento: 4 porções
Tempo de preparo: 1h

INGREDIENTES
- 500 g de fundos de alcachofra congelados
- 2 xíc. (chá) de queijo tipo cottage sem o soro
- 1 col. (sopa) de cebola ralada
- ½ col. (chá) de pimenta calabresa
- Sal a gosto
- 1 col. (chá) de óleo para untar
- 4 col. (chá) de farinha de rosca integral feita com torrada

MODO DE PREPARO
- Coloque os fundos de alcachofra em uma panela com água fervente, deixe ferver por 2 minutos e escorra. Seque um a um com um guardanapo de pano e reserve.
- Em uma vasilha, coloque o queijo tipo cottage, a cebola, a pimenta, o sal e misture bem.
- Unte com óleo uma assadeira e disponha os fundos de alcachofra, um ao lado do outro.
- Recheie cada fundo de alcachofra com o creme de queijo. Polvilhe com a farinha de rosca, para gratinar, e asse em fogo médio (180°C) por 20 minutos.
- Retire do forno e deixe esfriar antes de servir. Use folhas de alcachofra para decorar o prato.

SALADA DE SOJA E VEGETAIS

Rendimento: 2 porções
Tempo de preparo: 15 min.

INGREDIENTES
- 1 prato (mesa) de alface lisa
- 1 abobrinha média inteira
- 4 fatias médias de tomates
- 4 colheres (sopa) de soja cozida
- 1 unidade pequena de palmito
- 2 colheres (sopa) de cenoura ralada
- 1 colher (sopa) de salsinha
- 1 colher (sopa) de vinagre de maçã
- 1 colher (sopa) de orégano
- 1 colher (sopa) de azeite de oliva
- 1 colher (chá) de sal refinado

MODO DE PREPARO
- Higienize bem a alface, a abobrinha, o tomate e a cenoura, corte em rodelas o palmito, rale a abobrinha e pique os tomates e a salsinha.
- Misture esses ingredientes, com exceção da alface.
- Acrescente a soja cozida e tempere a mistura dos ingredientes com sal, azeite, vinagre e orégano, de acordo com seu gosto.
- Arrume um prato de alface e, sobre ela, disponha a mistura dos vegetais. Sirva a seguir.

SALADA GREGA COM COGUMELOS E FILÉ-MIGNON

Rendimento: 6 porções
Tempo de preparo: 30 min.

INGREDIENTES
- 200 g de filé-mignon cortado em tiras
- 4 tomates picados
- 1 cebola picada
- 1 pepino picado
- 2 pimentões verdes picados
- 2 xícara (chá) de champignon fresco cortado em lâminas finas
- ½ xícara (chá) de azeitona preta sem caroço
- 2 colheres (sopa) de suco de limão
- 2 colheres (sopa) de vinagre branco
- 2 colheres (sopa) de ketchup
- 2 colheres (chá) de mostarda
- 1 colher (chá) de orégano
- ½ xícara (chá) de azeite
- 1 colher (chá) de sal

MODO DE PREPARO
- Frite em um pouco de azeite as tiras de filé-mignon temperadas com sal a gosto. Reserve.
- Em uma saladeira, misture o restante dos ingredientes da salada e junte o filé-mignon frito. Sirva logo em seguida.

SALADA DE MACARRÃO COM RÚCULA AO VINAGRETE DE LARANJA

Rendimento: 10 porções
Tempo de preparo: 20 min.

INGREDIENTES
- 500 g de massa curta de grano duro cozida al dente
- 250 g de queijo tipo mozarela cortado em cubos
- 200 g de ervilhas frescas escaldadas
- 200 g de palmito cortado em cubos
- 200 g de cenoura crua ralada
- 100 g de salame fatiado e cortado em tiras
- Folhas de rúcula a gosto

INGREDIENTES VINAGRETE
- 200 g de creme de leite em caixinha
- 100 g de maionese
- Cheiro-verde a gosto
- ½ xícara (chá) de suco de laranja
- ¼ de xícara (chá) de vinagre de vinho branco
- 1 col. (sobremesa) de mel
- 1 col. (sobremesa) de gengibre ralado

MODO DE PREPARO
- Misture bem todos os ingredientes da salada, exceto a rúcula. Reserve.
- Misture todos os ingredientes do vinagrete. Reserve.
- Acomode as folhas de rúcula sobre o prato. Tempere-as com o vinagrete. Disponha a salada de macarrão sobre as folhas. Sirva fria.

SALADA REFRESCANTE DE COGUMELOS

Rendimento: 6 porções
Tempo de preparo: 20 min.

INGREDIENTES
- ½ pé de alface-americana picada
- ¼ do maço de rúcula picado
- 1 cenoura ralada
- 1 xíc. (chá) de champignons frescos fatiados
- 2 laranjas cortadas em gomos sem pele e sem sementes

INGREDIENTES MOLHO
- 1 col. (sopa) de mel
- ½ xíc. (chá) de aceto balsâmico
- 1 col. (sopa) de gengibre ralado
- 2 col. (sopa) de shoyu
- ½ xíc. (chá) de suco de laranja

MODO DE PREPARO
- Misture o mel, o aceto balsâmico, o gengibre ralado, o shoyu e o suco de laranja e reserve.
- Em uma travessa, faça uma base para a salada, usando as folhas de alface e rúcula picadas, misturando-as bem.
- Depois, distribua sobre essa cama de folhas a cenoura e os champignons fatiados, espalhando-os e misturando-os muito bem.
- Decore com os gomos de laranja, para dar um sabor agridoce.
- Regue a salada preparada com o molho e sirva a seguir, para que as folhas não murchem.

QUICHE DE BRÓCOLIS COM KANI

Rendimento: 8 porções
Tempo de preparo: 45 min.

INGREDIENTES MASSA
- 2 xíc. (chá) de farinha de trigo
- 1 ovo
- ½ lata de creme de leite
- 2 col. (sopa) de margarina

INGREDIENTES RECHEIO
- 3 unidades de kani-kama desfiado
- 1 col. (sopa) de manteiga
- 1 col. (sopa) de cebola ralada
- 1 col. (sopa) de salsa picada
- 2 ovos batidos
- 1 xíc. (chá) de queijo cottage
- 1 col. (sopa) de amido de milho
- 3 col. (sopa) de creme de leite
- 1 pacote de brócolis congelados em temperatura ambiente e picados (300 g)
- 1 col. (chá) de sal

MODO DE PREPARO
- Em um recipiente, coloque a farinha (reserve um pouco), o ovo levemente batido, o creme de leite e a margarina. Misture com o auxílio de uma colher.
- Em seguida, mexa com as mãos (neste momento, se necessário, utilize a farinha reservada). Sove sobre superfície lisa.
- Distribua a massa em uma assadeira redonda nº 25 de fundo falso (não precisa untar). Faça furos sobre ela com o auxílio de um garfo.
- Leve ao forno preaquecido em 200°C por aproximadamente 10 minutos (para assar a massa).
- Faça o recheio misturando todos os ingredientes. Disponha-o sobre a massa e leve ao forno preaquecido (250°C) por 35 minutos.

TORTA INTEGRAL DE LEGUMES

Rendimento: 4 porções
Tempo de preparo: 1 hora

INGREDIENTES
- 1 berinjela grande cortada em fatias
- 4 abobrinhas cortadas em fatias
- 2 cogumelos shiitake cortados em fatias
- 4 tomates grandes cortados em fatias
- 1 colher (sopa) de alho picado
- ¼ de xícara (chá) de folhas de manjericão picadas
- ½ xícara (chá) de pão integral esmigalhado
- ¼ de xícara (chá) de queijo parmesão ralado
- Sal e pimenta a gosto

MODO DE PREPARO
- Em uma frigideira, grelhe a berinjela, a abobrinha e o cogumelo shiitake temperados com sal e pimenta. Reserve.
- Em uma assadeira de fundo removível, faça uma camada com a berinjela.
- Sobre ela, coloque metade da abobrinha, do cogumelo e do tomate, polvilhando o alho, o manjericão, o sal e a pimenta.
- Para a segunda camada, repita o procedimento terminando com a berinjela.
- Por último, distribua o pão integral esmigalhado e o parmesão.
- Leve ao forno médio e asse por cerca de 30 minutos ou até o queijo ficar bem gratinado. Sirva quente.

QUICHE DE LEGUMES

Rendimento: 8 porções
Tempo de preparo: 45 min.

INGREDIENTES

Massa:
- 1 xícara (chá) de farinha de trigo (120 g)
- 1 pitada de sal
- 1 pitada de açúcar
- 100 g de manteiga
- 1 ovo

Recheio:
- 1 cebola picada
- ½ lata de molho de tomate
- 1 lata de seleta de legumes
- 1 lata de milho-verde
- ½ copo de requeijão cremoso
- Salsinha picada
- Sal a gosto

Cobertura:
- 2 ovos (claras separadas)
- 1 xíc. (chá) de queijo parmesão ralado
- ½ copo de requeijão

MODO DE PREPARO

- Primeiro prepare o recheio.
- Junte a cebola, o molho de tomate, a seleta de legumes, o milho, o sal, o requeijão e a salsinha. Reserve.

Massa:
- Misture a farinha com o sal e o açúcar.
- Junte a manteiga até formar uma farofa grossa.
- Acrescente o ovo e misture até que a massa desgrude das mãos.
- Embrulhe e ponha na geladeira por 15 minutos.
- Distribua a massa numa assadeira redonda de fundo falso (não precisa untar).
- Faça furos sobre ela com o auxílio de um garfo.
- Leve ao forno preaquecido em 200°C por aproximadamente 10 minutos.
- Retire do forno e coloque o recheio.

Cobertura:
- Bata as claras em neve, reserve.
- Misture o queijo parmesão com o requeijão, incorpore delicadamente as claras à mistura e coloque sobre o recheio.
- Polvilhe o queijo parmesão e asse em forno preaquecido a 180°C por 20 minutos.

QUICHE DE ABOBRINHA

Rendimento: 8 porções
Tempo de preparo: 45 min.

INGREDIENTES

Massa:
- 1 xícara (chá) de farinha de trigo
- 1 pitada de sal
- 1 pitada de açúcar
- 100 g de manteiga
- 1 ovo

Recheio:
- 2 abobrinhas médias raladas
- 2 ovos
- 2 col. (sopa) de queijo parmesão ralado
- ½ lata de creme de leite sem soro
- ½ xíc. (chá) de cebolinha verde
- 2 col. (sopa) de farinha de trigo
- Sal a gosto
- Queijo parmesão ralado para polvilhar

MODO DE PREPARO

Massa:
- Misture a farinha com o sal e o açúcar.
- Junte a manteiga até formar uma farofa grossa.
- Acrescente o ovo e misture até que a massa desgrude das mãos.
- Embrulhe e ponha na geladeira por 15 minutos.
- Distribua a massa numa assadeira redonda de fundo falso (não precisa untar).
- Faça furos sobre ela com o auxílio de um garfo.
- Leve ao forno preaquecido em 200°C por aproximadamente 10 minutos.
- Retire do forno e coloque o recheio.

Recheio:
- Em um recipiente, coloque as abobrinhas raladas, os ovos levemente batidos, o creme de leite sem soro e o queijo parmesão ralado.
- Adicione sal, cebolinha e farinha. Mexa bem.
- Retire a massa do forno e coloque o recheio.
- Polvilhe com queijo parmesão ralado e leve ao forno em 200°C por 20 minutos.

PÃO DE LINHAÇA RECHEADO

Rendimento: 12 porções
Tempo de preparo: 30 min.

INGREDIENTES
- 1 copo de leite morno
- 50 g de fermento biológico
- 400 g de farinha de trigo
- 200 g de margarina
- 4 ovos inteiros
- 1 colher (chá) de sal
- 4 batatas cozidas e amassadas
- 1 colher (sopa) de semente de linhaça
- 2 tomates picados sem pele e sem sementes
- ½ xícara (chá) de azeitonas pretas
- 2 colheres (sopa) de manjericão
- Margarina e farinha de trigo para untar
- 1 ovo para pincelar

MODO DE PREPARO
- Desmanche o fermento biológico no leite morno.
- Adicione à mistura a farinha, a margarina light, os ovos, o sal e, por último, as batatas cozidas amassadas, já resfriadas.
- Misture tudo muito bem, batendo a massa na batedeira para ajudar.
- Adicione a semente de linhaça e mexa bem.
- Unte uma assadeira grande e coloque metade da massa.
- Ponha os tomates picados, a azeitona e o manjericão.
- Cubra com o restante da massa e deixe descansar por 30 minutos, para crescer.
- Pincele com o ovo batido e leve ao forno.
- Asse por 45 minutos ou até que esteja dourado.

PÃO DE BATATA

Rendimento: 20 porções
Tempo de preparo: 25 min.

INGREDIENTES
- 500 g de polvilho azedo
- 580 g de batata cozida
- 2 colheres (café) de sal marinho
- 2 xícaras (café) de azeite
- 3 xícaras (café) de água

MODO DE PREPARO
- Misture o polvilho e o sal.
- Adicione o azeite e misture até formar uma farofa. Se necessário, coloque mais azeite para dar o ponto.
- Adicione o polvilho e coloque a água aos poucos, para não empelotar.
- Amasse bastante com as mãos, até sentir a massa uniforme.
- Faça as bolinhas.
- Preaqueça o forno a 180°C por 10 minutos.
- Asse os pãezinhos até ficarem dourados.

PASTA PICANTE DE BERINJELA

Rendimento: 10 porções
Tempo de preparo: 2h

INGREDIENTES
- 2 berinjelas (500 g)
- 2 col. (sopa) de óleo
- ½ xíc. (chá) de cebola picada
- 3 tomates picados (500 g)
- ½ xíc. (chá) de coentro picado
- 2 col. (sopa) de curry
- 2 col. (chá) de sal
- 1 xíc. (chá) de iogurte natural desnatado

MODO DE PREPARO
- Preaqueça o forno (180 °C).
- Fure as berinjelas com um garfo, arrume-as em uma assadeira e leve ao forno por 45 minutos, até que fiquem macias.
- Deixe esfriar, descasque-as e pique a polpa.
- Coloque-as sobre uma peneira, comprima para retirar todo o líquido e deixe descansar por 30 minutos na peneira para escorrer totalmente.
- Aqueça o óleo em uma panela antiaderente e refogue a cebola até ficar macia.
- Acrescente os tomates, o coentro, o curry e mexa por 1 minuto.
- Aumente o fogo, junte a berinjela e mexa por mais 5 minutos, até o líquido evaporar.
- Retire do fogo, deixe esfriar, adicione o iogurte e misture. Sirva gelada.

PURÊ DE CENOURA COM AMÊNDOAS

Rendimento: 6 porções
Tempo de preparo: 25 min.

INGREDIENTES
- 500 g de cenouras
- 2 col. (sopa) de requeijão
- 1 gema
- 1 pitada de noz-moscada
- 1 pitada de gengibre em pó
- 3 col. (sopa) de amêndoas em lascas
- Sal e pimenta-do-reino

MODO DE PREPARO
- Em uma panela, cozinhe as cenouras em água até ficarem bem macias.
- Passe-as por um espremedor de batatas para fazer um purê.
- Coloque o purê em uma panela e leve ao fogo.
- Adicione, então, a gema, a noz-moscada, o gengibre, a pimenta-do-reino e o sal, mexendo sempre essa mistura.
- Deixe a massa no fogo até tomar consistência.
- Adicione o requeijão, misturando bem.
- Salpique com as lascas de amêndoas e sirva a seguir.

SUFLÊ DE CENOURA

Rendimento: 12 porções
Tempo de preparo: 40 min.

INGREDIENTES
- 1 kg de cenoura
- ½ xíc. (100 ml) de leite desnatado
- 3 gemas
- 6 claras em neve
- 2 colheres (sopa) de margarina
- 1 cubo de caldo de legumes
- 2 col. (sopa) de queijo ralado

MODO DE PREPARO
- Cozinhe as cenouras até que fiquem bastante macias e passe no espremedor de batatas para fazer um purê.
- Acrescente o leite, as gemas, o caldo de legumes diluído em um quarto de xícara de água, o queijo e a margarina.
- Misture bem para incorporar todos os ingredientes e as claras em neve, sempre delicadamente.
- Coloque o suflê em uma forma untada e enfarinhada.
- Asse até que fique dourado, mas com o interior cremoso. Sirva a seguir.

SUFLÊ DE PALMITO

Rendimento: 8 porções
Tempo de preparo: 50 min.

INGREDIENTES
- 2 col. (sopa) de farinha de trigo
- 1 e ½ copo de leite
- 1 col. (sopa) de óleo
- 3 ovos (gemas e claras separadas)
- 2 xíc. (chá) de palmito picado
- Sal a gosto
- 1 col. (sopa) de salsinha
- 3 col. (sopa) de queijo parmesão ralado

MODO DE PREPARO
- Em uma panela, coloque a farinha de trigo e junte o leite. Leve ao fogo, mexendo sempre. Retire do fogo, adicione o óleo e as gemas (uma a uma). Misture bem.
- Leve novamente ao fogo, junte o palmito, o sal e a salsinha, mexendo sempre até ferver.
- Adicione 2 colheres (sopa) de queijo ralado e as claras batidas em neve. Misture bem e despeje num refratário untado com manteiga.
- Polvilhe com o queijo ralado restante e asse em forno preaquecido por cerca de 40 min. ou até dourar.

RISOTO DE TOFU E TOMATE CEREJA

Rendimento: 4 porções
Tempo de preparo: 45 min.

INGREDIENTES
- 1 e ½ xíc. (chá) de arroz selvagem
- 2 xíc. (chá) de tofu picado
- 1 xíc. (chá) de tomates cereja cortados ao meio
- 4 col. (sopa) de shoyu
- 4 col. (sopa) de azeite de oliva
- 1 cebola picada
- 3 col. (sopa) de manjericão fresco, salsinha e cebolinha picados
- Sal a gosto

MODO DE PREPARO
- Inclua no liquidificador o tofu, o shoyu e 3 xícaras (chá) de água. Bata até ficar homogêneo.
- Transfira a mistura para uma panela, coloque no fogo e espere ferver. Mantenha aquecida.
- Leve ao fogo uma panela com o azeite de oliva e a cebola.
- Refogue, mexendo de vez em quando, até a cebola dourar.
- Acrescente o arroz e refogue, sem parar de mexer, por 5 minutos.
- Adicione, aos poucos, mexendo de vez em quando, o creme de tofu fervente.
- Mexa bem.
- O arroz deve ficar al dente e cremoso.
- No fim do cozimento, antes de colocar a última concha de creme de tofu, adicione os tomates cereja e as ervas.
- Misture com cuidado, acerte o sal, retire do fogo e sirva.

MOLHO VERDE

Rendimento: 6 porções
Tempo de preparo: 5 min.

INGREDIENTES
- 1 colher (sopa) de mostarda
- 2 colheres (sopa) de azeitonas verdes picadas
- 1 colher (sopa) de anchova em conserva com o óleo
- 6 dentes de alho
- 1 limão (só a casca ralada)
- 1 laranja (só a casca ralada)
- 1 xícara (chá) de hortelã
- 1 xícara (chá) de manjericão
- 1 xícara (chá) de azeite de oliva

MODO DE PREPARO
- Coloque todos os ingredientes no liquidificador, começando com os líquidos.
- Bata até formar um creme verde espesso.
- Caso fique muito grosso, adicione mais azeite.

MOLHO DE ALHO

Rendimento: 6 porções
Tempo de preparo: 5 min.

INGREDIENTES
- 200 gramas de creme de leite
- 6 dentes de alho
- ½ unidade de limão espremido
- 1 xícara de azeite
- Sal e pimenta-do-reino a gosto

MODO DE PREPARO
- Coloque os ingredientes no liquidificador, menos o azeite, e bata. Adicione aos poucos o azeite até dar o ponto de maionese.
- Tempere com sal e pimenta-do-reino.

AGRADECIMENTOS

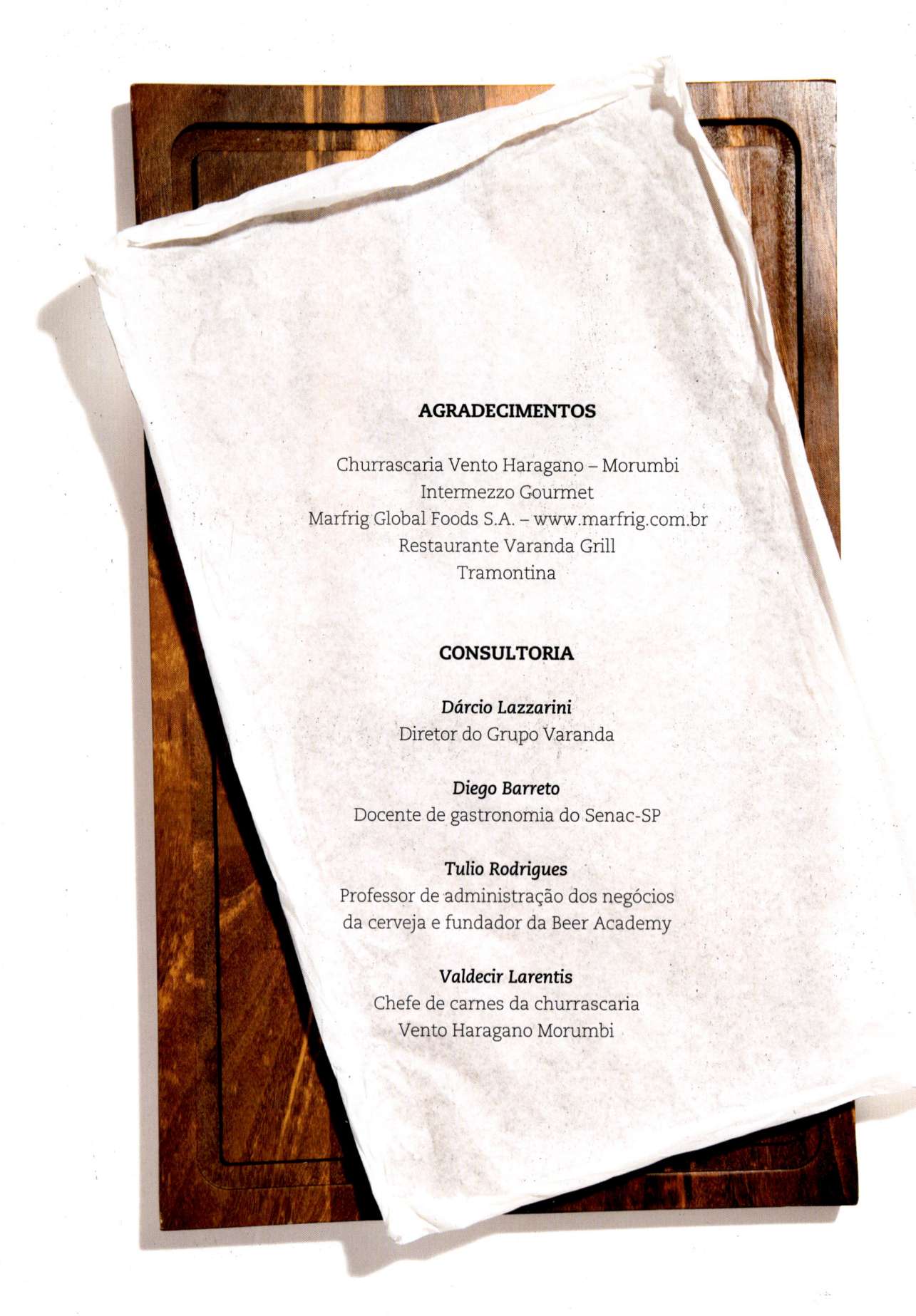

Churrascaria Vento Haragano – Morumbi
Intermezzo Gourmet
Marfrig Global Foods S.A. – www.marfrig.com.br
Restaurante Varanda Grill
Tramontina

CONSULTORIA

Dárcio Lazzarini
Diretor do Grupo Varanda

Diego Barreto
Docente de gastronomia do Senac-SP

Tulio Rodrigues
Professor de administração dos negócios
da cerveja e fundador da Beer Academy

Valdecir Larentis
Chefe de carnes da churrascaria
Vento Haragano Morumbi